Konrad Kazimierz Czapliński

Perły architektury w Polsce

Jewels of Architecture in Poland

Architekturperlen in Polen

Konrad Kazimierz Czapliński

Jewels of Architecture in Poland ✦ *Architekturperlen in Polen*

Ratusz w Zamościu (na stronie 2)
The Town Hall in Zamość (on the page 2)
Rathaus in Zamość (Seite 2)

Kościół św. Jana w Toruniu (powyżej)
St. John's church in Toruń (above)
Kirche des hl. Johannes in Thorn (oben)

Spis treści

Contents + Inhalt

Wstęp

Album *Perły architektury w Polsce*, jak sznur pereł, zawiera te największe i te całkiem drobne. Autor spośród dawnych budowli, znajdujących się obecnie na terenie Polski, wybrał te, które uznał za najpiękniejsze. Wznoszone przez miejscowych twórców i przez przybyszy, w czasach, gdy czuli się oni bardziej rzemieślnikami lub artystami niż Polakami, Włochami czy Niemcami, i gdy ziemia, na której powstawały owe budowle, wielokrotnie zmieniała przynależność państwową. Ileż bowiem razy zmieniały się granice Polski! Ile wojsk przemaszerowało przez nasze ziemie! Ile zostało autentycznej zabytkowej materii? Zniszczone w dawnych czasach przez pożary lub wojny obiekty odbudowywano niekiedy w pierwotnym kształcie, często jednak według nowej mody. Poniósłszy ogromne straty w wyniku wojen ubiegłego stulecia, zarówno w postaci zniszczeń materialnych, jak i w sferze duchowej, starając się ratować to, co ocalało, osiągnęliśmy mistrzostwo w renowacji zabytków i odtwarzaniu dawnych form budynków. Dlatego w albumie zobaczymy autentyczne stare mury, obrosłe patyną wieków, obtłuczone tu i ówdzie, ale także na nowo podniesione z gruzów, odtworzone z pietyzmem i znajomością rzeczy, według dawnych wizerunków i pomiarów. Wiele też zabytkowych obiektów, wcale nie zburzonych, zajaśniało nowym blaskiem po troskliwych zabiegach konserwatorskich.

Minęło tysiąc lat, od kiedy na naszych ziemiach stanęły pierwsze murowane budowle, początkowo bardzo nieliczne. Autor starał się, by w albumie znalazły się zdjęcia obiektów reprezentujących wszystkie epoki. Są tu więc kamienne, surowe, romańskie świątynie i gotyckie bazyliki o kunsztownych sklepieniach. Są białe, wapienne, gotyckie zamki Jury, fundowane przez Kazimierza Wielkiego, i ceglane warownie Krzyżaków. Są ratusze, domy i pałace ukoronowane w czasach renesansu wysokimi polskimi attykami o wymyślnych grzebieniach. Wreszcie barokowe kościoły z dynamicznymi, falującymi wnętrzami i bogatymi fasadami. Jest królewski Wilanów i Wawel.

Każdy powinien znaleźć tu miejsce, które szczególnie lubi, z którym wiążą się jakieś wspomnienia. Każdy ma bowiem swój ulubiony styl architektoniczny. Budowle, których widok porusza serce, to dla jednych poważne mury romańskiej świątyni, dla innych strzeliste wnętrza gotyckich katedr.

Autor albumu wybrał te obiekty, które jemu są bliskie, z nadzieją, że zachwycą również innych. Są to zarówno zabytki cieszące się ogólnym zainteresowaniem, jak i te mniej znane, które przyciągnęły uwagę artysty fotografika, bo mają w sobie jakiś szczególny urok lub zachwyciły go mistrzostwem wykonania detalu, grą światła, przestrzeni, barwą, kompozycją brył.

Warto wiedzieć coś więcej na temat oglądanego obiektu, aby go lepiej poznać, wyobrazić sobie, jak powstawał, poznać jego losy na przestrzeni wieków... Dlatego album uzupełniają krótkie teksty dotyczące historii budowli lub zespołów, niekiedy ducha czasów, w jakich powstawało dzieło. Krótkie, by nie rywalizowały z pięknymi zdjęciami-obrazami, które niechaj będą przewodnikiem po naszej ziemi.

Niech Cię, Drogi Czytelniku, oczarują...

Ewa Różycka

Introduction

The album *Jewels of Architecture in Poland* is like a tapered string of pearls having the largest beads as well as those more minute. From the early buildings situated on the current territory of Poland, the author has chosen those which, in his opinion, are the most beautiful. They were erected by the local inhabitants as well as by newcomers who considered themselves firstly as craftsmen and artists, and only secondarily as their Polish, Italian, or German nationality. Also the grounds on which the buildings were coming into being were often changing national status. How many times the borderlines of Poland have changed! How many armies have marched through our territory! How much of the authentic, historical matter has survived? Having been destroyed by the fires and wars, the early buildings were at times rebuilt in their original shape but more often according to the new fashion. Having had met such a great loss of material values, as well as those spiritual, as the result of the last century's wars in the area, and having made a continued effort to rescue what has survived, we have achieved a mastery in renovation of monuments and reconstruction of the old building forms. Because of that we will see here both old walls, covered by a patina of ages and chipped at places, and also those which have been raised out of the ruins anew, reconstructed with piety and confidence according to old views and measurements. Also many buildings which were not destroyed, started shining with a new brightness after the caring efforts of conservators.

A thousand years have past since the first stone buildings appeared on our lands, at first only a small scattering of them existing. The author has tried to place in the album photographs of objects representing all different periods. Thus there are stony, raw, Romanesque temples and Gothic basilicas with their ingenious vaulting. There are white, limestone Gothic castles of Jura, founded by Kazimierz Wielki; we can also find there the brick strongholds of the Teutonic Order. There are town halls, houses and palaces which in the Renaissance period were crowned with high Polish parapets with their ingenious decoration. Finally we can see baroque churches with dynamic, wavy insides and rich facades. There are royal Wilanów and Wawel.

Everyone should find here a place that he likes and with which memories are connected, as everyone has his favourite style of architecture. Some are struck by the walls of a Romanesque temple, while the hearts of others are stirred when confined in the slender interior of a Gothic cathedral.

The author of the album chose the objects which were close to his heart, and hopes that they will also delight others. Here are well-known buildings which get general attention as well as those less known which have attracted the photographer's eye with their particular charm or due to the mastery of the workmanship, the play of light, the space, the colour or the block composition.

It is worth knowing more about the building we are looking at to come to know it better, imagining how it came into being, and coming to know its fate across the centuries. That is why the album is composed of short texts describing the history of each building or complex. Sometimes the text is concerned with the spirit of the epoch in which the work was done. They are short so they do not compete with the photographs. Let them guide you around our country.

Dear Reader, let them enchant you...

Vorwort

Im Bildband *Architekturperlen in Polen* können wir wie in einer Perlenkette neben kleinen und bescheidenen große und ansehnliche Baudenkmäler bewundern. Der Autor wählte aus den alten Gebäuden, die sich heute auf dem polnischen Boden befinden, diejenigen, die er am schönsten fand. Sie wurden von hiesigen und ausländischen Meistern erbaut, in Zeiten, als sich jene eher Handwerker und Künstler nannten als Polen, Italiener oder Deutsche. Der Boden, auf dem die Bauten errichtet wurden, wechselte mehrmals seine staatliche Zugehörigkeit. Wie oft schon wurden die Grenzen Polens verschoben? Wie viele Armeen marschierten durch unser Land? Wieviel blieb von der authentischen Bausubstanz in gutem Zustand erhalten? Die Bauten, die in alten Zeiten durch einen Brand bzw. durch einen Krieg zerstört wurden, baute man manchmal in ihrer ursprünglichen Gestalt, oft jedoch nach der neuesten Mode, wieder auf. Infolge der Kriege des vorigen Jahrhunderts erlitten wir sowohl große materielle als auch geistige Schäden. Indem wir uns bemühten, das Erhaltengebliebene zu retten, wurden wir Meister in Renovierung und Rekonstruktion von Sehenswürdigkeiten. Deshalb sehen wir in dem Bildband authenthische Mauern, die an alte Zeiten erinnern – hier und da abgebröckelt. Wir finden aber auch solche, die mit großer Genauigkeit und Sachkenntnis nach damaligen Bildern und Abmessungen von Ruinen neu hochgezogen wurden. Viele Bauwerke, die gar nicht zerstört wurden, erschienen nach sorgfältigen konservatorischen Arbeiten in neuem Glanz.

Seitdem auf unserem Boden die ersten, zuerst ganz wenigen gemauerten Gebäude errichtet wurden, vergingen tausend Jahre. Der Autor gab sich Mühe, in dem vorliegenden Band Fotos von Objekten zu sammeln, die für alle Epochen repräsentativ sind. Es gibt hier also schlichte, romanische Kirchen aus Stein und gotische Basiliken mit kunstvoll gestalteten Gewölben. Es gibt gotische Juraburgen aus weißem Kalkstein, gestiftet von Kazimierz Wielki, und Backsteinfestungen des Deutschen Ordens. Es gibt Rathäuser, Wohnhäuser und Paläste, die in der Renaissance von hohen polnischen Attiken mit ausgefallenen Kämmen gekrönt wurden. Es gibt schließlich barocke Kirchen mit dynamischer, fließender Innenarchitektur und reich verzierten Fassaden. Es gibt die königliche Residenz in Wilanów (Warschau) und das Wawel-Schloss in Krakau.

Jeder kann hier ein Bauwerk finden, das er besonders mag, mit dem irgendwelche Erinnerungen verbunden sind. Jeder hat nämlich seinen Lieblingsbaustil. Die Bauwerke, dessen Anblick das Herz höher springen lässt, sind für die einen die strengen Mauern einer romanischen Basilika, und für die anderen die hohen Gewölbe einer gotischen Kathedrale.

Der Autor hat solche Baudenkmäler gewählt, die seinem Herzen nahe stehen, mit der Hoffnung, dass sie auch die Leser begeistern mögen. Es sind solche, die sich allgemeiner Beliebtheit erfreuen, aber auch jene weniger bekannten, die die Aufmerksamkeit des Fotografen auf sich gezogen haben. Sie zeichnen sich entweder durch einen besonderen Reiz aus oder sie bezaubern durch die meisterhaft ausgearbeiteten Details, durch das Licht- und Raumspiel, durch die Farbe bzw. die Form.

Es ist nützlich, etwas mehr über das Gebäude zu erfahren, das wir uns gerade ansehen, um es besser zu verstehen, um sich vorstellen zu können, wie es errichtet wurde, um sein Schicksal im Laufe der Jahrhunderte kennen zu lernen. Das Album wird deshalb mit kurzen Texten zur Geschichte von einzelnen Bauwerken oder Gebäudekomplexen, bzw. zum Zeitgeist der jeweiligen Kunstepoche, in der das Bauwerk entstand, ergänzt. Die Texte sind kurz und bündig, um mit den schönen Bildern, die Sie, lieber Leser, durch unser Land führen sollen, nicht zu wetteifern. Lassen Sie sich von ihnen bezaubern...

„Angielski" park romantyczny

The „English" romantic park ✦ Der „englische" romantische Park

Gdy w Wersalu wzniesiono Petit Trianon dla Marii Antoniny, magnackie damy w Polsce zapragnęły również mieć własną architekturę „ogrodową". Z kilku takich realizacji najlepiej przetrwała Arkadia, założona w 1778 roku przez Helenę Radziwiłłową, ówczesną właścicielkę Nieborowa. Wzorowany na ogrodach angielskich wczesnoromantyczny park, z licznymi pawilonami, nawiązującymi stylowo do antyku ❸ i architektury gotyckiej ❶❷, zaprojektował Szymon Bogumił Zug. Do upiększenia wnętrz zaangażowano wielu artystów, m.in. Piotra Norblina i Aleksandra Orłowskiego. Dziś Arkadia jest oddziałem Muzeum Narodowego w Warszawie.

❶

When Petit Trianon was erected for Marie Antoinette in Versailles, magnate ladies in Poland also developed a desire to have „garden" architecture of their own. Among several projects of this kind Arkadia, which was established in 1778 by Helena Radziwiłł, who was the owner of Nieborów at that time, survived in relatively best condition. The park in early romantic style, based on English gardens, with numerous pavilions in style referring to the Greco-Latin world ❸ and the Gothic architecture ❶❷, was designed by Szymon Bogumił Zug. Many artists, for example Piotr Norblin and Aleksander Orłowski, were involved in the design of the interior of the complex. Currently Arkadia is a branch of the National Museum in Warsaw.

Als in Versailles für Marie Antoine Petit Trianon errichtet wurde, wollten auch polnische Magnatendamen ihren eigenen Landschaftsgarten besitzen. Von einigen solchen Projekten ist Arkadia am besten erhalten geblieben. Diese Parkanlage wurde im Jahre 1778 von Helena Radziwiłł, der damaligen Besitzerin vom Palais und Park in Nieborów, gegründet. Sie wurde von Szymon Bogumił Zug entworfen. Es ist ein englischer frühromantischer Park mit einigen an die antike ❶❷, und gotische Architektur ❸ anknüpfenden Pavillons. An der Verzierung ihrer Innenräume haben mehrere Künstler gearbeitet, u.a. Piotr Norblin und Aleksander Orłowski. Heute ist Arkadia eine Außenabteilung des Nationalmuseums in Warschau.

Zamek

The castle ✦ Das Schloss

Zamek w Baranowie prezentuje świetny przykład budowli warownej, lecz bardziej nastawionej na reprezentację i wygodę niż na obronność. Jak wszystkie tego typu umocnione rezydencje, które pojawiły się u schyłku renesansu, założony został na planie regularnego czworoboku, z cylindrycznymi basztami w narożach ❶. Prostą architekturę zamku ożywiają od strony dziedzińca arkadowe krużganki ❷ z loggiami i paradnymi schodami ❺ oraz zdobnymi portalami ❸, na zewnątrz zaś attyka ściany parawanowej i faliste szczyty skrzydeł mieszkalnych. Budowlę wzniósł w latach 1591-1606 włoski architekt Santi Gucci dla rodziny Leszczyńskich. W odrestaurowanym obecnie zamku znajduje się jedyne w Polsce muzeum siarki oraz muzeum wnętrz ❹.

❶

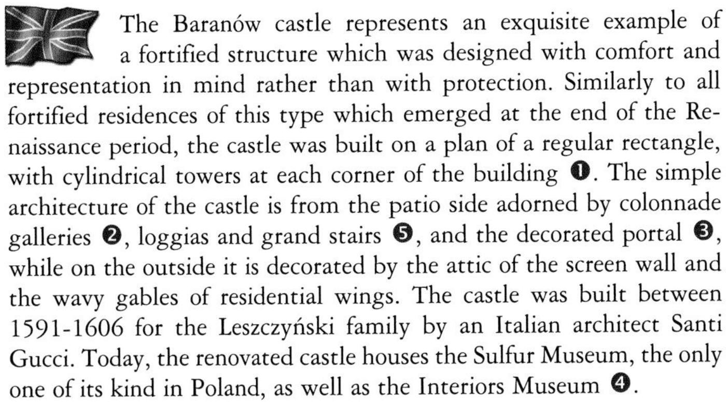

The Baranów castle represents an exquisite example of a fortified structure which was designed with comfort and representation in mind rather than with protection. Similarly to all fortified residences of this type which emerged at the end of the Renaissance period, the castle was built on a plan of a regular rectangle, with cylindrical towers at each corner of the building ❶. The simple architecture of the castle is from the patio side adorned by colonnade galleries ❷, loggias and grand stairs ❺, and the decorated portal ❸, while on the outside it is decorated by the attic of the screen wall and the wavy gables of residential wings. The castle was built between 1591-1606 for the Leszczyński family by an Italian architect Santi Gucci. Today, the renovated castle houses the Sulfur Museum, the only one of its kind in Poland, as well as the Interiors Museum ❹.

Das Schloss in Baranów ist eine Residenz, die mehr zu Repräsentations- als zu Verteidigungszwecken gebaut wurde. Wie alle ähnlichen Bauwerke, die im Stil der Spätrenaissance errichtet wurden, wurde das Schloss auf einem rechteckigen Grundriss mit vier zylindrischen Ecktürmen gebaut ❶. Die einfache Architektur des Schlosses schmücken von der Hofseite Säulenarkadengänge ❷, ein prächtiges Treppenhaus ❺ und verzierte Portale ❸, von außen die Schirmwandattika und die wellenartigen Giebel des Wohnflügels. An der Residenz der Magnatenfamilie Leszczyński wurde nach dem Plan von Santi Gucci in den Jahren 1591-1606 gebaut. Heute befinden sich im renovierten Schloss das einzige polnische Museum der Schwefelindustrie und das Museum der Innenräume ❹.

Kościół odpustowy

The pilgrim church ✦ Die Ablasskirche

Bardo wymieniano już w 1096 roku jako gród kasztelański. Od XII wieku należało do klasztoru augustianów w Kamieniu Ząbkowickim. Od XIV wieku rozwinął się tutaj ruch pielgrzymkowy do uchodzącej za cudowną romańskiej figurki Madonny. Obecny barokowy kościół odpustowy ❶ wzniesiony został na miejscu średniowiecznego w latach 1686-1704. Ze stosunkowo skromną architekturą zewnętrzną kontrastuje bogate wyposażenie świątyni ❸❹, pełnej wybornych dzieł rzeźby i malarstwa przednich mistrzów. Uwagę zwracają także rokokowe organy oraz bogato zdobiona ambona ❷. Przetrwała też owa XII-wieczna drewniana figurka Madonny, będąca najstarszą rzeźbą romańską na Dolnym Śląsku. Dodatkowym walorem bardowskiego założenia jest jego malownicze usytuowanie.

❶

Bardo was mentioned as early as in 1096 as a fortified seat of a castle governor. Starting from the 12th century it belonged to the Augustinian monastery in Kamień Ząbkowicki. From the 14th century it became a center of pilgrimages drawn there by a Romanesque sculpture of Madonna, thought to work miracles. Today's baroque pilgrim church ❶ was built between 1686-1704 on the site of a medieval one. The relatively austere exterior is in contrast to rich interior of the church ❸❹, full of sculpture masterpieces and paintings by leading artists. One's attention is also drawn to a rococo organ and a richly decorated pulpit ❷. The miraculous 12th century wooden figure of Madonna has also been preserved until these days and today it is the oldest Romanesque sculpture in the Lower Silesia region. An additional striking feature of the Bardo complex is its picturesque location.

Das Kastell in Bardo wurde bereits 1096 erwähnt. Seit dem 12. Jh. gehörte es zum Augustinerkloster in Kamień Ząbkowicki. Im 14. Jh. wurde Bardo zu einer Pilgerstätte, die wegen einer Wunder vollbringenden romanischen Marienfigur berühmt wurde. Der heutige Bau, eine barocke Ablasskirche ❶, wurde in den Jahren 1686–1704 anstelle des mittelalterlichen errichtet. Die relativ bescheidene Außenarchitektur steht im Kontrast zur üppigen Innenausstattung ❸❹, die aus vielen Skulpturen von hohem künstlerischen Wert und Bildern von grossen Meistern besteht. Bemerkenswert sind die Orgeln in Rokoko-Stil und die reich verzierte Kanzel ❷. Unversehrt geblieben ist auch die hölzerne Figur der Mutter Gottes aus dem 12. Jh., die älteste romanische Skulptur in Niederschlesien. Die Kirche in Bardo ist auch im Hinblick auf ihre malerische Lage sehr empfehlenswert.

2

3

4

Zamek Piastów Śląskich

The Silesian Piast dynasty castle ✦ Das Schloss der Schlesischen Piasten

Brzeg, wzmiankowany w 1036 roku, prawa miejskie otrzymał w roku 1248. Na zachodnim krańcu średniowiecznego miasta usytuowany był gród, zastąpiony pod koniec XII wieku murowanym zamkiem, który stał się siedzibą Piastów Śląskich. W latach 1544-1560 zamek został przebudowany w duchu renesansu. Otrzymał wzorowane na Wawelu, obiegające dziedziniec trzykondygnacyjne krużganki ❶❸. Na fasadzie budynku bramnego ❷ umieszczono rzeźbione postacie fundatorów przebudowy, Jerzego II z żoną, wyżej zaś popiersia Piastów – władców Polski i Śląska. Głównymi autorami renesansowych realizacji byli architekci Franciszek i Jakub Parrowie oraz rzeźbiarz Andrzej Walter. W czasie wojny prusko-austriackiej w 1741 roku zamek został zbombardowany i pozostawał w zaniedbaniu. Po zniszczeniach ostatniej wojny odbudowa trwała do roku 1989. Przywrócony do pierwotnej świetności, jest dziś siedzibą Muzeum Piastów Śląskich. Po pożarze ratusza w 1569 roku niezwłocznie postawiono nowy ❹ (według projektu Bernarda Niuron), o niezwykle pięknej pałacowej elewacji.

❶

❷

❸

Brzeg, mentioned as early as in 1036, received its township charter in 1248. At the western end of the medieval town there was a fortified settlement, replaced at the end of the 12th century by a castle which became a seat of the Silesian Piast dynasty. Between 1544-1560 the castle was rebuilt in the Renaissance style. It received three-storey arcades running around the internal yard, which copied the Wawel example ❶❸. On the front elevation of the gate building ❷, there were sculptures depicting the founders who sponsored the refurbishment – Jerzy II with his wife and, above them, the busts of the representatives of the Piast dynasty, the sovereigns of Poland and Silesia. The main authors of the Renaissance works were two architects: Franciszek and Jakub Parr, and Andrzej Walter, a sculptor. During the war between Austria and Prussia, in 1741, the castle was bombed and left in decline. Following the damage of the Second World War, the castle's reconstruction took until 1989. Now, returned to its initial glory, the castle is a location of the Museum of the Silesian Piast Dynasty (Muzeum Piastów Śląskich). When a fire burnt down a town hall in 1569 the new one was immediately erected ❹ (after a design of Bernard Nuron), with beautiful palace-like elevation.

Das bereits 1036 erwähnte Brieg (Brzeg) erhielt 1248 die Stadtrechte. Am westlichen Ende der mittelalterlichen Stadtanlage befand sich eine Burg, die Ende des 12. Jh. durch ein gemauertes Schloss, Sitz der schlesischen Piasten, ersetzt wurde. In den Jahren 1544-1560 wurde es im Renaissancestil umgebaut. Um den Hof herum errichtete man dreistöckige Kreuzgänge ❶❸, ähnlich wie im Wawelschloss. An der Fassade über dem Torbogen befinden sich die Stifterfiguren des Umbaus ❷, nämlich die des Herzogs Georg II. mit seiner Gemahlin, und darüber die Poträtbüsten der Piasten, Herrscher über Polen und Schlesien. Das Schloss erhielt seine Renaissancegestaltung dank dem Architekten Franciszek Parr und dem Bildhauer Andrzej Walter. Im preussisch – österreichischen Krieg im Jahre 1741 wurde das Schloss bombardiert und ist einige Zeit verwahrlost geblieben. Nach den Zerstörungen des Zweiten Weltkrieges dauerte der Wiederaufbau bis 1989. Im gotischen Stil wieder hergestellt wurde es zum Museum der Schlesischen Piasten. Nachdem das Rathaus 1569 abgebrannt war, baute man gleich ein neues Rathausgebäude ❹ mit einer schönen schlossähnlichen Fassade nach dem Entwurf von Bernhard Niuron.

❹

Ratusz i kościół farny

The Town Hall and the parish church ✦ Das Rathaus und die Pfarrkirche

Chełmno jest bogate w zabytki architektury, słynie jednak głównie z XVI-wiecznego ratusza ❶, należącego do najświetniejszych budowli renesansowych w Polsce. Wzniesiony został w drugiej połowie XVI wieku, na zrębach obiektu gotyckiego. Zwartą bryłę prostopadłościanu wieńczy, rozwinięta plastycznie, wysoka attyka. Wysmukłą wieżę, symbolizującą prestiż samorządu miejskiego, koronuje hełm o dwóch latarniach. W budynku mieści się dziś Muzeum Ziemi Chełmińskiej ❷ ❸. Z pięciu gotyckich świątyń Chełmna, najokazalszą jest halowa fara ❹, zbudowana w latach 1290-1333, z bogatym barokowym wyposażeniem wnętrza. Gotycki jest również budynek Akademii Chełmińskiej ❺, która działała w latach 1472-1818.

Chełmno is rich in monuments of architecture, but it is the 16th-century Town Hall ❶ which is most famous as it is one of the most splendid Renaissance buildings in Poland. It was erected in the second half of the 16th century on the foundations of the Gothic building. The compact rectangular structure is topped by artistically elaborate, high attic. The slim tower, which is a symbol of the prestige of the municipal self-government, is crowned by a helmet with two lanterns. At present the building houses the Chełmno Region Museum ❷❸. Among the five Gothic churches in Chełmno the most magnificent is the hall-like parish church ❹ built in 1290-1333, with rich baroque interior decorations. The Chełmińska Academy ❺, which existed between 1472-1818, was built in the Gothic style as well.

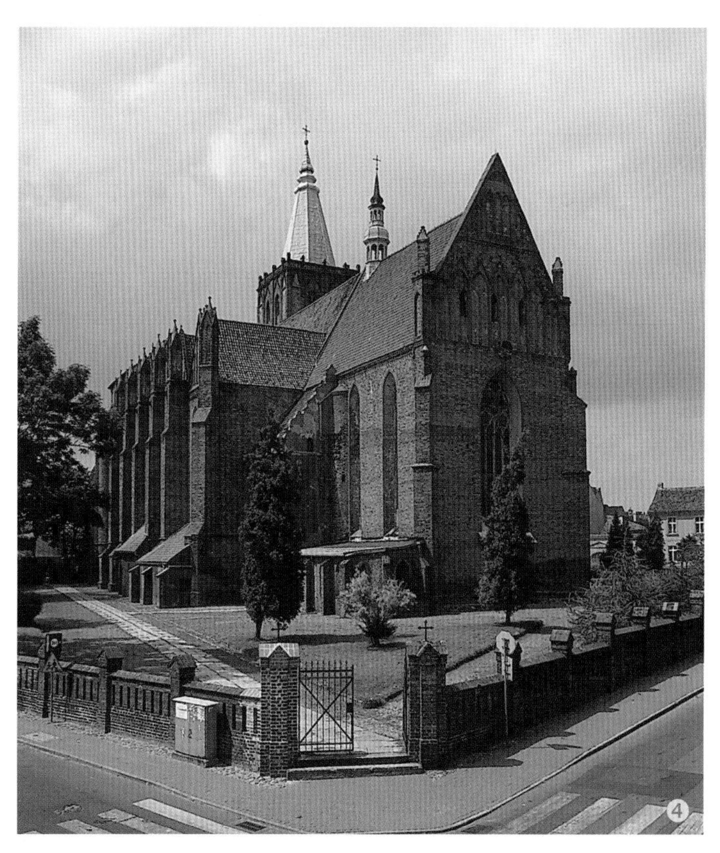

Das an architektonischen Kunstschätzen reiche Kulm (Chełmno) ist vor allem dank seinem Rathaus aus dem 16. Jh. bekannt ❶, das zu den prächtigsten polnischen Renaissancebaudenkmälern gehört. Es wurde in der zweiten Hälfte des 16. Jh. anstelle eines gotischen Vorgängerbaus errichtet. Den Quaderbau krönt eine üppig gegliederte hohe Attika. Den schlanken Turm, der das Prestige der Stadtverwaltung symbolisieren soll, schließt ein Helm mit zwei Laternen. Das Gebäude ist heute Sitz des Museum des Kulmer Landes ❷❸. Von den fünf gotischen Gotteshäusern in Kulm ist die Pfarr-Kirche St. Marien ❹, eine in den Jahren 1290-1333 erbaute Hallen-Kirche mit der reichen barocken Ausstattung, am schönsten. Im gotischen Stil wurde auch das Gebäude der Kulmer Akademie erbaut ❺, die in den Jahren 1472-1818 tätig war.

Kościół farny i ratusz

The parish church and the Town Hall ✦ Die Pfarrkirche und das Rathaus

Fara w Chojnie ❶, zbudowana na przełomie XIV i XV wieku, przez wybitnego architekta niemieckiego osiadłego w Szczecinie – Henryka Brunsberga, jest czołowym zabytkiem architektury późnogotyckiej w Polsce. Wieża, wzniesiona na miejscu starszej, powstała w 1861 roku. Jest to kościół halowy z ambitem, o klarownym układzie. Monumentalna bryła świątyni zyskuje z bliska dzięki delikatnej, koronkowej dekoracji ceramicznej ❷❸❹, zdobiącej elewacje. W 1945 roku śródmieście Chojny, w tym kościół farny i ratusz, zostało spalone. W ostatnich latach świątynię częściowo odbudowano, nakrywając ją dachem. Gotycki ratusz ❻, powstały w XV wieku z powiększenia domu kupieckiego, odbudowano w 1977 roku. Z pozostałości dawnych obwarowań szczególną urodą odznacza się XV-wieczna Brama Świecka ❺. Na uwagę zasługuje także poklasztorny kościół augustianów z XIV wieku.

❶

❷

❸

The parish church ❶, built at the turn of the 14th century by eminent German architect Henryk Brunsberg, is a leading monument of late Gothic architecture in Poland. The tower was constructed in 1861 in the place of an older one. The church is hall-like with an ambulatory and a clear layout. The huge structure of the church is more appealing when viewed closely, thanks to the delicate, open-work ceramic decoration on the elevations ❷❸❹. In 1945 the centre of Chojna, including the parish church and the town hall, were burnt. In recent years the shrine was partly reconstructed and covered with roof. The Gothic Town Hall ❻, which was built in the 15th century by developing a merchant's house, was reconstructed in 1977. Among the remains of the former entrenchments the 15th-century Świecko Gate ❺ is especially attractive visually. The 14th-century Augustinian church, which remains of the monastery, is also worth noticing.

Die Pfarrkirche in Königsberg (Chojna) ❶, erbaut um die Wende vom 14. zum 15. Jh. vom ausgezeichneten deutschen Baumeister aus Szczecin – Heinrich Brunsberg, gehört zu den schönsten Baudenkmälern der Spätgotik. Ihr Turm, der anstelle eines älteren errichtet wurde, stammt aus dem Jahre 1861. Der Bau ist eine Hallenkirche mit Ambitus, sehr übersichtlich gegliedert. Das monumentale Bauwerk gewinnt bei näherer Betrachtung durch eine feine spitzenartige Keramikdekoration der Fassaden ❷❸❹. 1945 wurden die Innenstadt von Königsberg sowie auch die Pfarrkirche und das Rathaus verbrannt. In den letzten Jahren baute man das Gotteshaus teilweise wieder auf, indem es überdacht wurde. Das gotische Rathaus ❻, das im 15. Jh. aus einem Bürgerhaus gebaut wurde, baute man 1977 wieder auf. Von der alten Stadtbefestigung, die erhalten geblieben ist, ist das Schwedter Tor (Brama Świecka) ❺ besonders schön. Beachtenswert ist auch die Augustinerkirche aus dem 14. Jh.

4

5

6

Dawne opactwo kanoników regularnych

The former abbey of Regular Cannons

Die ehemalige Regularkanonikerabtei

Sprowadzeni przez płockiego biskupa Aleksandra z Malonne kanonicy regularni wznieśli w Czerwińsku, w drugiej ćwierci XII wieku zespół klasztorny, po którym zachowała się trzynawowa bazylika ❶❷ z dwoma wieżami od strony zachodniej. Mimo dokonywanych na przestrzeni stuleci różnych przekształceń, w zasadniczej bryle i architekturze zewnętrznej świątynia zachowała romański charakter ❸❼. W przykościelnym lapidarium ❺❻ jest częściowo zachowany kamienny portal z około 1160 roku, należący do nielicznych portali z okresu romańskiego, które zdobione są rzeźbioną dekoracją figuralną. Wewnątrz bazyliki wschodnią ścianę nawy bocznej ozdabia XIII-wieczna polichromia o tematyce biblijnej. W prezbiterium ❹ znajdują się zdobione stalle i bogaty ołtarz z obrazem Zwycięskiej Matki Pocieszenia.

❶

❷

Regular Canons brought to Czerwińsk by the bishop of Płock, Aleksander of Malonne, erected there in the second quarter of the 12th century a monastery complex. What has remained of it until today is a cathedral ❶❷ with a central nave, two aisles and two towers on the western side of the building. Despite the changes made to the structure over the centuries, the basic shape of the building and the external architecture of the shrine has still retained its Romanesque character ❸❼. The stone portal, partially preserved in the church collection of ancient stone work ❺❻, dates back to around 1160 and belongs to a very few Romanesque portals that are decorated by figurative stone carvings. Inside the cathedral, the eastern wall of the aisle is decorated by a 13th century mural depicting scenes from the Bible. In the presbytery ❹ there are decorated stalls and the rich altar with a picture of Victorious Mother of Consolation.

❸

Bischof Aleksander von Płock berief im zweiten Viertel des 12. Jh. Regularkanoniker aus Malonne, die in Czerwińsk ein Kloster gründeten, von dem eine dreischiffige Basilika ❶❷ mit Doppel-Turm-Fassade im Westen erhalten geblieben ist. Trotz zahlreicher baulicher Eingriffe, die im Laufe der Zeit vorgenommen wurden, hat sie ihren romanischen Charakter behalten ❸❼. Das teilweise im Lapidarium ❺❻ erhalten gebliebene steinerne Portal, das gegen 1160 gebaut wurde, gehört zu den wenigen romanischen Portalen, in die ein Figurendekor eingehauen ist. Im Inneren ziert die Ostwand des Seitenschiffes ein mehrfarbiges Gemälde mit biblischen Motiven aus dem 13.Jh. Im Presbyterium ❹ kann man das reich verzierte Chorgestühl und einen Altar mit dem Gnadenbild der tröstenden Mutter Gottes bewundern.

Klasztor na Jasnej Górze

The monastery on Jasna Góra ✦ Das Kloster auf dem Hellen Berg

XIV-wieczny kościół farny na Jasnej Górze przekazał paulinom książę Władysław Opolski. Władysław Jagiełło kazał klasztor obwarować wałami z ostrokołem. W XVII wieku urządzenia te zastąpiono murowanymi fortyfikacjami z bastejami. Tak umocniony klasztor ❶ stawił czoło oblężeniu w czasie szwedzkiego potopu. Z gotyckiej bazyliki zachowało się prezbiterium, a w nim wspaniały ołtarz barokowy. Korpus nawowy, wzniesiony w XVII wieku, otacza szereg kaplic, a wśród nich kaplica Matki Bożej z cudownym obrazem „Czarnej Madonny" ❷. Strzelista wieża uzyskała ten kształt na początku XX wieku. Pierwotna jest tylko dolna partia. W klasztorze z XVII-XVIII wieku mieści się biblioteka i skarbiec darów królewskich z bezcennymi zabytkami kultury oraz Sala Rycerska ❸.

❶

The 14th-century parish church located on the hill of Jasna Góra was donated to the Paulinite monks by the Duke Władysław Opolski. The King Ladislaus Jagiełło ordered the monastery to be fortified with high walls and a stockade. In the 17th century these fortifications were replaced by brick walls and flanking towers. The fortified monastery ❶ withstood the Swedish siege during the Swedish war. What is left today of the Gothic basilica is the presbytery which holds a splendid baroque altar. The nave, built in the 17th century is surrounded by a number of chapels, among which there's the chapel of the Mother of God with the miraculous painting of the "Black Madonna" ❷. The slender spire received its shape at the beginning of the 20th century. Only the base part is original. The 17th-18th centuries monastery holds a library and a treasury where royal gifts are held, among them priceless cultural heritage objects. The Knight's Hall ❸ is also there.

Das Kloster auf dem Hellen Berg (Jasna Góra) aus dem 14. Jh. stiftete für den Paulinerorden Herzog Władysław von Opole. König Władysław Jagiełło ließ es mit einem palisadenartigen Wall umzäunen, der im 17. Jh zu einer Festungsmauer mit Türmen umgebaut wurde. So konnte das Kloster ❶ einem übermächtigen schwedischen Heer widerstehen. Von der gotischen Basilika ist das Presbyterium erhalten geblieben, wo man einen herrlichen barocken Altar bewundern kann. Das Hauptschiff ist von mehreren Kapellen umgeben, unter denen die Kapelle Mutter Gottes (Kaplica Matki Bożej) mit dem Gnadenbild der "Schwarzen Madonna" ❷ eine besondere Stellung nimmt. Der hohe, schlanke Kirchturm hat seine Gestalt erst Anfang des 20. Jh. erhalten. Aus früheren Zeiten stammt nur sein Unterbau. Das Kloster birgt auch eine Bibliothek und eine Schatzkammer mit Kultur- und Kunstschätzen von unschätzbarem Wert sowie auch den Rittersaal ❸.

Zamek rycerski

The knight's castle ✦ Das Ritterschloss

Zamek rycerski w Dębnie, jedna z najznakomitszych siedzib rycerskich w Polsce, powstał w drugiej połowie XV wieku, na miejscu dwóch starszych budowli obronnych. Wzniesiony został przez Jakuba Dębińskiego, kasztelana krakowskiego. Jest budowlą kamienno-ceglaną, zachowaną w pierwotnej, gotyckiej bryle, z basztami ❶❷ i ozdobnymi wykuszami ❹. Dziedziniec wewnętrzny obiega ganek ❸, a sale mają bogaty kamienny wystrój rzeźbiarski. Podobny charakter mają portale ❺. Zamek został nieznacznie przebudowany w wieku XVI (z tego okresu pochodzi sgraffitowa dekoracja ścian) i XVIII. Obecnie znajduje się w nim muzeum – oddział Muzeum Okręgowego w Tarnowie.

❶

The knight's castle in Dębno, one of the most striking knight's residences in Poland, was built in the second half of the 15th century on the site of two older fortified structures. It was built by Jakub Dębiński, the Cracow castle governor. It's made of brick and stone, preserved in its original Gothic shape, with watchtowers ❶❷ and decorative bay windows ❹. The internal yard is surrounded by a gallery ❸ and the rooms are decorated with details carved in stone. The portals are of the same character ❺. The castle was slightly rebuilt in the 16th century (from that period there are sgraffito decorations on the walls) and in the 18th century. Today it houses a museum – a department of the Regional Museum in Tarnów.

Das Ritterschloss in Dębno, eine der prächtigsten Residenzen in Polen, wurde im 15. Jh. für Jakub Dębiński, den Krakauer Kastellan, anstelle von zwei älteren Wehranlagen erbaut. Es ist ein Stein- und Backsteinbau im gotischen Stil. Seine ursprüngliche Form mit Basteien ❶❷ und phantasievollen Erkern ❹ ist erhalten geblieben. Das Schloss besitzt einen Arkaden-Innenhof ❸, und seine Innenräume sind mit vielen Bildhauerarbeiten in Stein verziert. Ähnlich sehen die Portale aus ❺. Beachtenswert ist auch die Sgraffitoverzierung der Wände, die bei der Umgestaltung im 16. Jh. angebracht wurde. Heute befindet sich im Schloss eine Filiale des Kreismuseums in Tarnów.

Katedra

The cathedral ✦ Der Dom

Katedra we Fromborku należy do najświetniejszych budowli sakralnych w Polsce, zarówno jeśli chodzi o wielkość, jak też walory artystyczne. Wyróżnia się ponadto obronnym charakterem założenia. W obecnej postaci zbudowana została etapowo w latach 1329-1388. W XV wieku wzgórze katedralne obwarowano murami i basztami ❶. Zewnętrzną architekturę świątyni zdobi bardzo dekoracyjny szczyt zachodni, a sylwecie dodają uroku wysmukłe wieżyczki narożne korpusu, o funkcji obronnej. Gotyckie wnętrze wypełnione jest barokowym wyposażeniem ❷. Są to liczne ołtarze, stalle i wspaniałe organy, ponadto wiele renesansowych i barokowych nagrobków oraz epitafiów. W nawie głównej znajduje się tablica pamiątkowa z 1735 roku ku czci Mikołaja Kopernika – kanonika kapituły warmińskiej.

❶

The cathedral in Frombork is one of the most outstanding religious buildings in Poland both with regard to the size and the artistic values. The defensive nature of the spatial plan is also distinctive. The cathedral was built in several stages in the years 1329-1388. In the 15th century the cathedral hill was fortified with walls and towers ❶. The exterior architecture is enhanced by the very decorative western gable, and the slim small towers, situated in the corners and used for defence purposes add charm to the building's profile. The Gothic interior is filled with baroque furnishings ❷. These include numerous altars, stalls and magnificent organs, and also many Renaissance and baroque grave monuments and epitaphs. In the nave there is a plaque from 1735 commemorating Mikołaj Kopernik, who was canon of Warmia chapter.

Der festungsartig bewehrte Dom in Frauenburg (Frombork) gehört zu den herrlichsten Sakralbauten in Polen, sowohl seiner Größe als auch seines künstlerischen Wertes wegen. In seiner heutigen Gestalt wurde er abschnittsweise in den Jahren 1329-1388 gebaut. Im 15 Jh. umgab man den Domhügel mit einem Mauerring mit mehreren Türmen ❶. Die Außenarchitektur der Kirche schmückt die sehr dekorative Westfassade und ihre Silhouette zieren schlanke zu Wehrzwecken errichtete Ecktürmchen. Das gotische Innere ist im barocken Stil ausgestattet ❷. Zur Ausstattung gehören einige Altäre, Chorgestühle, die prächtige Orgel sowie auch mehrere Renaissance- und Barockgrabmäler und Epitaphien. Im Hauptschiff befindet sich eine Gedenktafel für Nikolaus Kopernikus, den Kanoniker des Ermländer Kapitels, aus dem Jahre 1735.

Bazylika Mariacka i ratusz

The St. Mary's basilica and the Town Hall

Die Marienbasilika und das Rathaus

Zabytków najwyższej rangi artystycznej jest w Gdańsku kilkanaście. Należy do nich bez wątpienia gotycki kościół Najświętszej Marii Panny ❶ – jedna z największych budowli sakralnych w Polsce. Trójnawowa hala z transeptem i obejściem w zasadniczym kształcie powstała w XIV i XV wieku, lecz różne prace budowlane trwały jeszcze przez następne 100 lat. Świątynia, o ścianach przeprutych wielkimi oknami, z masywną wieżą od strony zachodniej, dominuje w panoramie miasta monumentalną bryłą o dachach najeżonych strzelistymi wieżyczkami ❷. Elementami ozdobnymi dość surowej architektury są sterczynowe szczyty transeptu, uskokowy portal oraz gotycka attyka, we wnętrzu zaś wsparte na wysokich filarach sklepienia – gwiaździste w nawie głównej ❸, kryształowe w bocznych.

Ratusz ❹, spinający klamrą ulicę Długą z Długim Targiem, zbudowany został pod koniec XIV wieku, a 100 lat później podwyższony o trzecią kondygnację i wzbogacony o wieżę. Reprezentacyjna fasada, od strony Długiego Targu, otrzymała gotycką attykę, ujętą z boków smukłymi wieżyczkami. Po pożarze w 1556 roku mistrzowie niderlandzcy przeobrazili ratusz w duchu północnego renesansu i manieryzmu. Nad attyką powstała wówczas kamienna ażurowa balustrada ozdobiona herbami Polski i Gdańska, a hełm wieży zwieńczono złoconą figurą króla Zygmunta Augusta. Monumentalny portal w fasadzie i reprezentacyjne schody zewnętrzne powstały w drugiej połowie XVIII wieku. Z licznych wnętrz, obfitujących w artystyczny detal i dekorację wymienić należy przede wszystkim Czerwoną Salę ze wspaniałymi malowidłami ❺❻, kominkiem ❼ i portalem. Autorami znajdujących się w niej znakomitych obrazów są Jan Vredeman de Vries oraz Isaak van den Blocke.

There is about a dozen of heritage buildings and structures of world-class artistic quality in Gdańsk. Undoubtedly one has to count among these the Gothic Church of St. Mary ❶ – one of the largest religious building in Poland. The nave and two aisles, with the transept and the ambulatory was in its basic shape built in the 14th and 15th centuries, however various construction work wasn't actually finished for the next hundred years. The shrine, with its walls split by huge windows, with a massive tower on the western side, dominates the city skyline with its monumental bulk, and its roofs spiked with slender turrets ❷. The decorative elements of the austere architectural shape are – on the exterior – transept pinnacles, a recessed portal and a Gothic attic, while the interior is decorated by the vaults supported by tall pillars – stellar vaults in the central nave ❸, crystal vaults in the aisles.

The main Town Hall ❹, placed where Długa street meets Długi Targ, was built at the end of the 14th century and one century later it was raised by another storey and extended by adding a tower. The front facade, facing Długi Targ, received a Gothic attic, flanked on both sides by slender towers. After a 1556 fire, the Dutch masters transformed the Town Hall according to the spirit of the northern Renaissance and mannerism styles. Above the attic a stone lattice was built, decorated with the coats of arms of Poland and Gdańsk, and a gilded figure of the King Sigismund Augustus was placed on the helmet of the spire. The monumental portal in the front elevation and grand stairs were added in the second half of the 18th century. The interiors are filled with artistic and decorative detail, among which one has to mention the Red Hall with its splendid paintings ❺❻, the fireplace ❼ and the portal. The paintings in the Red Hall are a work of Jan Vredeman de Vries and Isaak van den Blocke.

In Danzig (Gdańsk) gibt es mehrere Baudenkmäler von höchstem künstlerischen Wert. Die Marienkirche ❶ gehört zweifellos zu ihnen. Es ist ein der größten Gotteshäuser in Polen. Die dreischiffige Hallenkirche mit Querschiff und Umgang enstand zum größten Teil im 14. und 15. Jh, aber verschiedene Bauarbeiten wurden noch in den nächsten hundert Jahren vorgenommen. Der monumentale Bau mit seinen großen Fenstern, dem gewaltigen Westturm und seinen Dächern, reich an spitzen schlanken Türmen ❷, beherrscht die gesamte Stadt. Wie streng und nüchtern der Bau auch sein mag, so zieren ihn von außen Pinakel des Transepts, ein Portal mit Mauervorsprung sowie eine gotische Attika, und von innen Sterngewölbe im Hauptschiff ❸ und Netzgewölbe in den Seitenschiffen.

Das Rathaus ❹ verbindet die Długa-Strasse und den Długi-Markt. Es wurde Ende des 14. Jh. erbaut und hundert Jahre später um ein Geschoss aufgestockt und mit einem Turm versehen. Die ansehnliche Ostfassade erhielt eine gotische Attika mit schlanken Türmen zu beiden Seiten. Nach dem Brand im Jahre 1556 musste ein Umbau vorgenommen werden. Niederländische Meister verwandelten das Rathaus in einen Repräsentationsbau im Stil der Nordrenaissance und des Manierismus. Über der Attika baute man ein durchbrochenes steinernes Geländer, das die Wappen Polens und Danzigs trug, auf die Spitze des Turmes setzte man eine vergoldete Statue König Zygmunts II. Augusts. In der zweiten Hälfte des 18. Jh. fügte man ein monumentales Portal und eine eindrucksvolle Freitreppe vor dem Eingang an. Von mehreren Innenräumen, die an künstlerischen Arbeiten und Dekorationen reich sind, verdient der Rote Saal mit seinen herrlichen Gemälden ❺❻, einem Kamin ❼ und einem Portal besondere Beachtung. Die im Portal eingelassenen Bilder wurden von Hans Vredeman de Vries und Isaak van den Blocke gemalt.

Katedra

The cathedral ✦ Der Dom

Katedra oliwska jest dawnym kościołem cysterskim. Opactwo powstało w 1188 roku, z fundacji księcia Sambora I. Początki konwentu były trudne z powodu napadów Prusów, a później grabieży dokonywanych przez Krzyżaków. Zbudowana w 1. połowie XIII wieku bazylika ❶ obecny kształt uzyskała po spaleniu w 1350 roku, gdy przedłużono ją do 107 metrów. Sieciowe sklepienia nawy głównej ❷ pochodzą z 1582 roku. W architekturze zewnętrznej kościoła wspaniale prezentuje się barokowa fasada, z niezwykłej smukłości wieżami. Wśród renesansowego i barokowego wyposażenia świątyni ❸❺❻ znajdują się sławne rokokowe organy ❹ – dzieło Jana Wulfa z lat 1763-1788. Wspaniały instrument ma trzy klawiatury, 83 rejestry oraz 5000 piszczałek, od kilkucentymetrowych do wysokich na 10 metrów.

1

2

3

The Oliwa cathedral is an old Cistercian church. The abbey was founded in 1188 by the Duke Sambor I. The beginnings of the monastery were difficult because it was raided several times, first by ancient Prussian tribes, then raided and plundered by Teutonic Knights. The cathedral ❶, built in the first half of the 13th century received its present shape after a fire in 1350, when its length was extended to 107 meters. Net vaults of the nave ❷ date back to 1582. The striking feature of the exterior of the church is its baroque facade, with unusually slender towers. Among the Renaissance and baroque interior decorations and furnishings ❸❺❻ one can admire the famous rococo organ ❹ – the masterpiece created between 1763-1788 by Jan Wulf. The splendid instrument has three manuals, 83 registers and 5000 flutes, whose sizes range from several centimeters to 10 meters.

Der Dom in Danzig-Oliva (Gdańsk-Oliwa) ist eine ehemalige Zisterzienserkirche. Die Abtei wurde im Jahre 1188 vom Herzog Samber I. gestiftet. Die Anfänge des Konvents waren wegen preußischer Angriffe und später wegen Plündereien, die von Kreuzrittern verübt wurden, sehr schwer. Die in der ersten Hälfte des 13. Jh. errichtete Basilika ❶ gewann ihre heutige Gestalt erst nach einem Brand im Jahre 1350, als sie bis auf 107m verlängert wurde. Die Sterngewölbe im Hauptschiff ❷ stammen aus dem Jahre 1582. Im Erscheinungsbild der Kirche ist die barocke Westfassade mit wunderschön schlanken Türmen erwähnenswert. Unter ihrer Renaissance- und Barockausstattung ❸❺❻ befindet sich die berühmte in den Jahren 1763-1788 gebaute Orgel ❹ von Jan Wulf. Das prächtige Instrument hat zwei Tastaturen, 83 Register und 5000 Pfeifen, die in ihrer Länge von wenigen Zentimetern bis 10 m reichen.

Katedra

The cathedral ✦ Der Dom

Katedra na Wzgórzu Lecha nieodparcie kojarzy się z rokiem 1000-nym i pielgrzymką Ottona III do Gniezna. W podziemiach świątyni można oglądać fragmenty kościoła przedromańskiego z drugiej połowy X wieku oraz katedry romańskiej z XI wieku. Obecna gotycka trójnawowa bazylika z obejściem i wieńcem kaplic ❶ powstała w wieku XIV (część prezbiterialna) i XV (korpus nawowy). Rozwinięty układ przestrzenny świątyni, z wielobocznym zamknięciem partii wschodniej, w architekturze polskiej najbliższy jest rozwiązaniom właściwym katedrom francuskim. Katedrę niszczyły wielokrotnie pożary. Po ostatnim, w 1945 roku, odbudowano ją, przywracając wnętrzu pierwotną formę gotycką. Z licznych, wyjątkowej wartości zabytków wyposażenia, szczególnie cenne są romańskie drzwi z brązu ❷ z 1175 roku, z 18 scenami z życia i męczeństwa św. Wojciecha oraz srebrny relikwiarz tegoż świętego ❸. Dwuwieżowa sylwetka katedry stanowi piękny akcent w panoramie Gniezna ❹.

❶

2

3

The cathedral on the Lech Hill is strongly associated with the year 1000 and Otto III's pilgrimage to Gniezno. In the basement of the shrine one may see remains of the pre-Romanesque church, which dates back to the second half of the 10th century, and remains of the 11th-century Romanesque cathedral. The present three-nave basilica with ambulatory and a circle of chapels ❶ was created in the 14th (presbytery part) and the 15th (nave trunk) centuries. The extended spatial layout of the shrine, with a polygonal closing of the eastern part, is the closest thing in Polish architecture to solutions specific for French cathedrals. The cathedral was destroyed many times by fires. After the last fire in 1945 it was reconstructed and the original Gothic form of the interior has been restored. Among the numerous, exceptionally valuable objects in its interior, the remarkable value has to be placed on the Romanesque bronze door ❷ from 1175, with 18 scenes covering the life and martyrdom of St Adalbert and the silver reliquary of the saint ❸. The cathedral with its two towers is a beautiful landmark in the panorama of Gniezno ❹.

Der Dom auf dem Lech-Hügel wird insbesondere mit dem Jahr 1000 und der Pilgerfahrt Ottos III. nach Gnesen (Gniezno) assoziert. Im Unterbau des Gotteshauses kann man Fragmente einer frühromanischen Kirche aus der zweiten Hälfte des 10. Jh. sowie auch einer romanischen Kathedrale aus dem 11. Jh. finden. Die heutige dreischiffige Basilika mit einem Umgang und einem Kranz von Kapellen ❶ enstand im 14. (die Chorpartie) und 15. Jh. (das Langhaus). Die Raumgliederung des Domes steht den Lösungen, die für französische Kathedralen typisch sind, am nächsten. Die Kirche brannte mehrmals aus. Nach dem letzten Brand im Jahre 1945 wurde sie in ihrer ursprünglichen gotischen Form wieder aufgebaut. Von zahlreichen Gegenständen der Innenausstattung von außergewöhlichem künstlerischen Wert verdienen die romanische Bronzetür ❷ von 1175 mit der Darstellung der 18 Szenen aus dem Leben des hl. Adalbert sowie auch das silberne Reliquiar des Heiligen ❸ besondere Beachtung. Die zweitürmige Silhouette der Kathedrale setzt einen schönen Akzent in das Stadtpanorama von Gnesen ❹.

4

1

Zamek

The castle ✦ Das Schloss

Zamkowo-pałacowy zespół w Gołuchowie ❶ należy do czołowych polskich rezydencji arystokratycznych. Wzmiankowana w 1444 roku fortalicja miała plan prostokąta flankowanego narożnymi wieżami. W latach 1535-1550 Leszczyńscy przekształcili zamek w duchu renesansu i powiększyli go o drugie skrzydło z loggią na piętrze ❹. W 1853 roku dobra gołuchowskie nabyli Działyńscy, podejmując remont podupadłej siedziby. W latach 1875-1885 staraniem Izabeli z Czartoryskich Działyńskiej zamek został gruntownie przebudowany. Zburzono najstarszą część północną, zachowując trzy wieże, a do budynku renesansowego dostawiono skrzydło zachodnie. W czasie tej realizacji w mury obiektu wstawiono średniowieczne i renesansowe elementy i detale architektoniczne ❷❸, sprowadzone z Włoch i Francji. Po przebudowie Izabela Działyńska stworzyła w zamku muzeum, rozgrabione i rozproszone podczas II wojny światowej. Obecnie mieści się tam oddział Muzeum Narodowego w Poznaniu.

The castle-palace complex in Gołuchów ❶ is one of the prominent Polish aristocratic residences. Mentioned already in 1444, the fortress was planned as a rectangle flanked by corner towers. During the years 1535-1550 the family of Leszczyński transformed the castle following the spirit of the Renaissance, and enlarged it adding another wing with a loggia on the first floor ❹. In 1853 Gołuchów's landed property was bought by the Działyński family. They took up reconditioning of the impoverished residence. During 1875-1885, thanks to Izabela Działyńska from the house of Czartoryski, the castle was thoroughly reconstructed. The oldest, northern part, was taken down. Three towers were retained and to the Renaissance building a western wing was added. While this was being realized some medieval and Renaissance elements ❷❸ were placed into the walls, also some architectural details were brought from Italy and France. After the reconstruction Izabela Działyńska established a museum in the castle which was devastated and robbed during Second World War. Now a branch of the National Museum in Poznań is situated there.

Das Schloss in Gołuchów ❶ gehört zu den bekanntesten polnischen Magnatenresidenzen. Die bereits 1444 erwähnte Festung wurde auf einem rechteckigen Plan mit Ecktürmen gebaut. In den Jahren 1535-1550 ließ die Familie Leszczyński das Schloss im Renaissancestil um- und den zweiten Flügel mit einer Loggia im ersten Stock dazubauen ❹. 1853 wurde das Schloss von der Familie Działyński gekauft und renoviert. In den Jahren 1875-1885 wurde es dank Izabela Działyńska geb. Czartoryska gründlich umgebaut. Der älteste nördliche Teil wurde bis auf seine drei Türme abgerissen, und zum Renaissanceflügel baute man den westlichen Flügel hinzu. Während der Bauarbeiten schmückte man die Schlossmauer mit Mittelalter- und Renaissanceelementen und architektonischen Details ❷❸, die man aus Italien und Frankreich einführen ließ. Nach dem Umbau eröffnete Izabela Działyńska ein Museum, dessen Sammlungen im Zweiten Weltkrieg gestohlen und an verschieden Stellen verstreut wurden. Heute beherbergt das Schloss eine Abteilung des Nationalmuseums in Posen.

Zespół klasztorny filipinów

The Philipinian monastery complex ✦ Der Philippinerklosterkomplex

Kościół klasztorny filipinów w Gostyniu, wzorowany na weneckim kościele Santa Maria della Salute, powstał pod koniec XVII wieku. Słynie z mistrzowsko skonstruowanej, wielkiej kopuły, wieńczącej ośmioboczną budowlę ❶. Zaprojektował ją i zbudował w latach 1726-28 znakomity architekt okresu baroku – Pompeo Ferrari. Inny świetny artysta, Jerzy Neunhertz ozdobił kopułę wspaniałymi freskami ❷. Wytwornie zakomponowane wnętrze świątyni i zakrystii ❸ zdobią ponadto dekoracje sztukatorskie i wysokiej klasy stiukowe wyposażenie, w tym dziewięć ołtarzy. W klasztorze, z czworobocznym dziedzińcem otoczonym krużgankami, najokazalsze jest wnętrze refektarza ❹. Usytuowany 2 km za miastem zespół klasztorny ufundował Adam Konarzewski w 1668 roku. Obecne budowle powstały w czasach jego potomków, a ich realizacja, zakończona w 1736 roku, trwała przez długie lata.

❶

The monastery church of St. Philip order in Gostyń, modeled after the Santa Maria della Salute in Venice, was built at the end of the 17th century. It is famous for its dome, which is a masterpiece of engineering and tops the octagonal structure ❶. The church was designed and built between 1726-1728 by Pompeo Ferrari, a celebrated master of baroque architecture. Another excellent master, Jerzy Neunhertz, decorated the dome with splendid murals ❷. Aesthetically designed interiors of the shrine and the sacristy ❸ are decorated by stucco work and splendid stucco fixtures, including nine altars. In the monastery, with its rectangular courtyard surrounded by a colonnade, the most striking interior is that of the refectory ❹. The monastery complex, located 2 kilometers from the town, was founded in 1668 by Adam Konarzewski. Today's buildings were built in the times of his descendants, and their construction, which ended in 1736, took long years.

Die Philippiner-Klosterkirche in Gostyń vom Ende des 17. Jh. wurde nach dem Vorbild der Kirche Santa Maria della Salute in Venedig erbaut. Ein Meisterwerk der Baukunst ist die riesige Kuppel, die den achteckigen Bau schliesst ❶. Sie wurde in den Jahren 1726-28 von einem hervorragenden Architekten der Barockzeit, Pompeo Ferrari, entworfen. Ein anderer bekannter Künstler, Georg Neunhertz, bemalte sie mit herrlichen Fresken ❷. Das geschmackvoll gestaltete Innere der Kirche und der Sakristei ❸ zieren überdies Stuck-Dekorationen und Stuckausstattung von hohem künstlerischen Wert, darunter neun Altäre. Im Kloster selbst, das einen viereckigen Innenhof mit Kreuzgang besitzt, ist das Innere des Refektoriums am prächtigsten ❹. Die Klosteranlage befindet sich 2km von der Stadt Gostyń entfernt und wurde von Adam Konarzewski im Jahre 1668 gestiftet. Der heutige Gebäudekomplex ist zu Zeiten seiner Nachfolger entstanden, und dessen Fertigstellung dauerte bis 1736.

1

Zespół klasztorny cystersów

The Cistercian monastery complex ✦ Die Zisterzienser-Klosteranlage

Już przy pierwszym zetknięciu henrykowski zespół klasztorny ❶ zadziwia monumentalnością założenia. Ufundowany w 1222 roku przez księcia Henryka Brodatego, z inicjatywy wrocławskiego kanonika Mikołaja, był filią cysterskiego opactwa w Lubiążu. Z pierwotnego założenia zachował się wczesnogotycki kościół, przykryty sklepieniem krzyżowo-żebrowym. Wnętrze zdobi bogate wyposażenie barokowe ❸❹, w tym obrazy przednich mistrzów, m.in. Wilmanna i Liszki. Prezbiterium otacza wianek kaplic gotyckich i barokowych ❷. W jednej z nich znajduje się XIV-wieczny nagrobek księcia Bolka II ziębickiego i jego żony Juty. Klasztor został przebudowany w stylu barokowym. Długą elewację frontową flankują dwie urokliwe wieżyczki. Przed nią stoi wspaniale rzeźbiona kolumna św. Trójcy z 1715 roku.

②

③

④

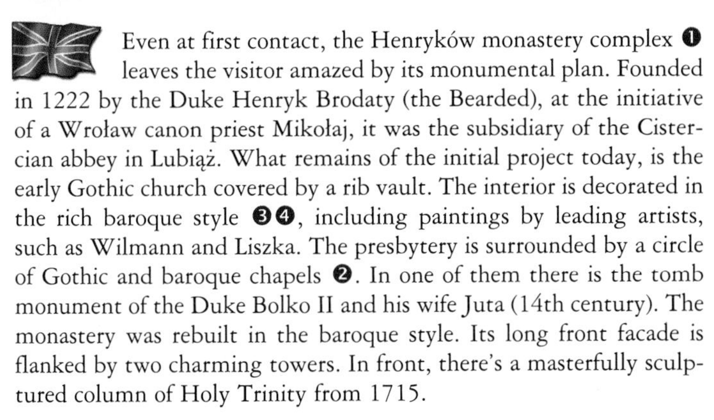

Even at first contact, the Henryków monastery complex ❶ leaves the visitor amazed by its monumental plan. Founded in 1222 by the Duke Henryk Brodaty (the Bearded), at the initiative of a Wrolaw canon priest Mikołaj, it was the subsidiary of the Cistercian abbey in Lubiąż. What remains of the initial project today, is the early Gothic church covered by a rib vault. The interior is decorated in the rich baroque style ❸❹, including paintings by leading artists, such as Wilmann and Liszka. The presbytery is surrounded by a circle of Gothic and baroque chapels ❷. In one of them there is the tomb monument of the Duke Bolko II and his wife Juta (14th century). The monastery was rebuilt in the baroque style. Its long front facade is flanked by two charming towers. In front, there's a masterfully sculptured column of Holy Trinity from 1715.

Bereits beim ersten Anblick des Klosters ❶ in Heinrichau (Henryków) muss man seinen monumentalen Bauplan bewundern. 1222 vom Kanoniker Mikołaj aus Breslau gestiftet, wurde es zu einer Filiale der Zisterzienserabtei in Lubiąż. Von der ursprünglichen Anlage ist eine frühgotische Basilika mit dem Kreuz-Rippen-Gewölbe erhalten geblieben. Das Innere ziert die prunkvolle Ausstattung im barocken Stil ❸❹, darunter Bilder von ausgezeichneten Meistern, u.a. von Wilmann und Liszka. Um das Presbyterium herum befindet sich ein Kranz von gotischen und barocken Kapellen ❷. In einer von ihnen kann man das Grabmal des Herzogs Bolko II. aus Ziębice mit seiner Gemahlin Jutta finden. Die Kirchenfront, die ursprünglich nur mit einem Turm versehen war, hat beim barocken Umbau noch einen reizvollen Turm bekommen. Davor steht die reichlich verzierte Dreifaltigkeitssäule aus dem Jahre 1715.

Kościół św. Krzyża

The Holy Cross church ✦ Die Kirche zum Hl. Kreuz

Kościół św. Krzyża, obecnie garnizonowy, najokazalszy z sześciu tzw. Kościołów Łaski, wzniesiony został przez protestantów na Śląsku. Zbudował go w latach 1709-1718 szwedzki architekt Martin Frantz, na wzór kościoła św. Katarzyny w Sztokholmie. Założony na rzucie krzyża greckiego, nakryty na przecięciu ramion płaską kopułą z latarnią, w otoczeniu czterech wieżyczek ❶, uzyskał bogatą, urozmaiconą bryłę. Wnętrze obiegają dwukondygnacyjne, drewniane empory ❹❻, a sklepienia pokrywają freski ❺ o tematyce biblijnej. Na otaczającym świątynię cmentarzu usytuowane są liczne kaplice grobowe ❷❸, zdobione barokową rzeźbą figuralną i kutymi kratami.

1

2

3

The Holy Cross church, currently the garrison church, which is the most prominent among the six Churches of Grace, as they are referred to, was erected by protestants in Silesia. It was built between 1709-1718 on the basis of a design by the Swedish architect Martin Frantz, using St Catherine's church in Stockholm as the model. The church is based on Greek cross layout, the arms' crossing is covered by flat dome with a lantern, surrounded by four pinnacles ❶ – this has produced a rich and varied shape. Inside there are two-storey wooden galleries around ❹❻ and murals with Bible themes on the vaults ❺. In the cemetery surrounding the shrine there are many grave chapels ❷❸ decorated with baroque sculptured figures and wrought-iron gratings.

5

4

Die Kirche zum Hl. Kreuz, heute eine Garnisonpfarrei, ist die ansehnlichste von den sog. Gnadenkirchen, die von Protestanten in Schlesien erbaut wurden. Sie wurde in den Jahren 1709-1719 unter der Leitung des schwedischen Baumeisters Martin Frantz nach dem Vorbild der Stockholmer Katharinenkirche errichtet. Die Kirche ist auf dem Grund eines griechischen Kreuzes gebaut. Der mit vier Türmchen ❶ versehene Vierungsturm trägt eine flache Kuppel mit Laterne. Um das Innere herum laufen zweistöckige Holzemporen ❹❻, und die Decken sind mit Fresken mit biblischen Motiven verziert ❺. Das Gotteshaus ist von einem Friedhof umgeben, dessen zahlreiche Grabkapellen ❷❸ mit barocken Figurskulpturen und geschmiedeten Eisengittern geschmückt sind.

6

Zespół klasztorny bernardynów

The Bernardine monastery complex

Der Bernhardinerklosterkomplex

Architektoniczny zespół Kalwarii powstał w latach 1603-1609, z fundacji rodziny Zebrzydowskich, a powiększono go w XVII-XVIII wieku. Kościół i klasztor bernardynów ❶ oraz szereg kaplic ❷ wzniósł architekt flamandzki Paweł Baudarth, w stylu manieryzmu niderlandzkiego. Wnętrze kościoła ❸❹❺❻❼ ma barokowe wyposażenie. Część z 42 kościółków i kaplic pochodzi z czasów rozbudowy. Wszystkie tworzą zespoły Dróg Męki Pańskiej i Dróg Matki Boskiej. Dziedziniec odpustowy przed zachodnią fasadą kościoła nosi nazwę „Rajskiego Pałacu". To największe, po Jasnej Górze, polskie sanktuarium.

Kalwaria Zebrzydowska wpisana jest na listę Światowego Dziedzictwa Kulturalnego i Przyrodniczego UNESCO.

❶

❷

❸

The architectural complex of Kalwaria Zebrzydowska was founded by the Zebrzydowski family and constructed betwen 1603-1609, and it was further developed in the 17th and the 18th centuries. The church and the Bernardine monastery ❶ as well as a number of chapels ❷ were designed by Flemish architect Paweł Baudarth in the Dutch mannerism style. The interior of the church ❸ ❹❺❻❼ has baroque furnishing. Some of the 42 small churches and chapels were built during the further development phase. Together they form the Passion of Christ Routes and the Holy Virgin Routes complexes. The church-fair yard in front of the western elevation of the church is called the „Palace of Paradise". Kalwaria Zebrzydowska is Poland's second biggest sanctuary, after Jasna Góra.

Kalwaria Zebrzydowska is listed in the UNESCO list of World Cultural and Natural Heritage.

Der von der Familie Zebrzydowski gestiftete architektonische Komplex von Kalwaria Zebrzydowska enstand in den Jahren 1603-1609. Im 17.–18. Jh. wurde er vergrößert. Er umfasst die Marienkirche, das Bernhardinerkloster ❶ und mehrere Kapellen ❷, die im Stil des niederländischen Manierismus von Paulus Baudarth entworfen wurden. Das Innere der Kirche ❸❹❺❻❼ ist im barocken Geiste ausgestattet. Ein Teil von den 42 kleinen Kirchen und Kapellen des Kalvariaberges stammt aus den Zeiten des Umbaus. Sie bilden die Kreuzweg- und die Marienstationen. Der Ablasshof vor der Westfassade der Marienkirche wird "Paradiespalast" genannt. Kalwaria Zebrzydowska ist nach Hellem Berg (in Często-chowa) der größte polnische Wallfahrtsort.

Kalwaria Zebrzydowska ist in die Liste des Weltkulturerbes der UNESCO eingetragen.

Katedra i ratusz

The cathedral and the Town Hall ✦ Der Dom und das Rathaus

Najcenniejszym zabytkiem architektury jest tu katedra z ciosów granitowych i cegły (romańskie prezbiterium z drugiej połowy XII wieku i wczesnogotycki korpus z kapitularzem), rozbudowana w układzie bazylikowym, z transeptem ze sklepieniami żebrowymi i gwiaździstymi i wieżą frontową z 1934 roku ❶. Portal i polichromia w prezbiterium pochodzą z drugiej połowy XIII wieku. Godny uwagi jest XIV-wieczny wirydarz otoczony krużgankami i zabudową kapitulną oraz elewacja południowa z bogatą ceramiczną attyką ❷❸. Wewnątrz znajduje się cenne wyposażenie, m.in. późnogotycki tryptyk ❻, barokowa rzeźbiona ambona ❺ i kamienna gotycka chrzcielnica. Największą ozdobą są okazałe organy ❹ z XVII wieku z ruchomymi figurami i dekoracją malarską balustrady empory. W środku rynku stoi odbudowany ratusz gotycki ❼ z XIII-XIV wieku z ceramiczną dekoracją szczytową, podcieniami i wieżyczką na kalenicy.

❶

❷

❸

The most valuable sight of architecture is the cathedral made of ashlar and brick (a Roman presbytery from the the second half of the 12th century and an early Gothic corpus with a capitular), built partially in the basilica structure, with a transept with a ribbed and star vault and the front tower from 1934 ❶. The portal and polychromy in the presbytery come from the second half of 13th century. There is a paradise garden worth mentioning, from the 14th century, surrounded by the gallery and the capitular development and south rise with a rich ceramic attic ❷❸. Valuable furnishings can be found inside, among others the late-Gothic triptych ❻, a baroque sculptured pulpit ❺ and the Gothic stone font. The greatest embellishments are the organ ❹ from the 17th century, with movable figures, and the painted decoration of the gallery balustrade. In the middle of the square, there is a rebuilt Gothic Town Hall ❼ from the 13th-14th centuries with a ceramic gable, arcades, and a tower on the comb.

Das wertvollste Architekturdenkmal in Cammin (Kamień Pomorski) ist der Dom St.Johannes, aus Granit und Backstein (der Chorraum im romanischen Stil und das frühgotische Schiff aus der zweiten Hälfte des 12. Jh. mit dem Kapitelsaal) auf dem Plan einer Basilika gebaut, mit Querschiff sowie Rippen- und Stern-Gewölben und einem Turm aus dem Jahre 1934 ❶. Das Portal und die Wandmalerei im Chor stammen aus der zweiten Hälfte des 13. Jh. Besondere Beachtung verdient auch der Klostergarten aus dem 14. Jh., umgeben vom Kreuzgang und Kapitelanlagen sowie auch die Süd-Fassade mit einer Attika aus Keramik ❷❸. Im Inneren sind kostbare Einrichtungen, u.a. das spätgotische Triptychon ❻, die barocke Kanzel ❺ und das gotische Taufbecken aus Stein erwähnenswert. Berühmt ist die prächtige Orgel ❹ aus dem 17. Jh. mit beweglichen Figuren und einer Malerei am Geländer der Empore. Inmitten des Marktplatzes von Cammin erhebt sich das wieder aufgebaute gotische Rathaus ❼ aus dem 13.-14. Jh. mit einer Keramikdekoration am Giebel, Arkadengängen und einem kleinen Turm auf dem Dachfirst.

Miasto nad Wisłą

The town over the Vistula River ✦ Die Stadt an der Weichsel

O wyjątkowej urodzie Kazimierza – oprócz malowniczego otoczenia ❷, które tworzy nurt Wisły i pocięte wąwozami, kamienne wzgórza – decyduje jego urokliwa architektura. Wśród wielu zabytkowych domów szczególnie interesująco prezentują się kamienice Mikołaja i Krzysztofa Przybyłów ❻ oraz Celejowska ❺, jedyne swego rodzaju na gruncie polskiej sztuki. Powstałe w 1615 i 1635 roku, mają niezwykle rozbudowane partie attyk oraz wybujałą dekorację fasad. Łączy ona cechy włoskiego i niderlandzkiego manieryzmu, lecz forma plastyczna ozdób jest ludowo naiwna i nieporadna. Treści chrześcijańskie pomieszane zostały z mitologicznymi, motywy realistyczne z abstrakcyjnymi, a wszystko rozmieszczone bez logicznego związku z architekturą. Wymienione niekonsekwencje wnoszą jednakże pewien walor oryginalności, a niezwykła fantazja w doborze motywów zdobniczych przydaje architekturze swoistego wdzięku. Górująca nad Rynkiem ❶ jednonawowa fara powstała w latach 1586-1589, na zrębach świątyni gotyckiej ❸. Kilkanaście lat później architekt Jakub Balina ozdobił sklepienia fary charakterystyczną dekoracją, imitującą żebra, układane w geometryczne kształty, z różnej treści plakietkami w polach. Ten typ dekoracji rozpowszechnił się potem w manierystycznej i barokowej architekturze kręgu lubelskiego. Z licznych niegdyś spichlerzy zbożowych przetrwało kilka, w tym dwa z 1. połowy XVII wieku ❼❽, bryłami i bogato uformowanymi szczytami nawiązujące do architektury kościoła farnego. Inne ważne zabytki Kazimierza to: ruiny gotyckiego zamku ❹, wolno stojąca baszta zamkowa z XIV wieku, barokowy klasztor reformatów (XVII wiek) z kościołem (z 1771 roku), szpital z 1635 roku i związany z nim kościół św. Anny (1649-1670).

❶

❷

Besides the picturesque surroundings ❷ created by the flow of the Vistula River and the stony hills with their many ravines, it is the charming architecture that exhibits the exceptional beauty of Kazimierz. Among the many monumental buildings the tenement houses of Mikołaj and Krzysztof Przybyła ❻ as well as those of Celejowska ❺ distinguish themselves. These are the only examples of their kind within the field of Polish art. They came into being in 1615 and 1635, both having unusually developed attic and exuberant façade decorations. The features satisfy both Italian and Dutch Manneristic style, but the form of the ornaments is pleasantly naive and awkward. The Christian content has been mixed with mythology, the realistic motifs with abstract ones, and all of it is placed without any logical connection to the architecture. However this inconsistency brings a certain value of originality and unusual fantasy in the choice of the decorative motifs, and gives to the architecture certain charm. Dominating over the Market Square ❶, a one-aisle parish church was built in 1586-1589 on the framework of a Gothic temple ❸. Over ten years later, architect Jakub Balina decorated the vaultings of the parish church with a distinctive decoration imitating ribs being set up in different geometrical shapes. This type of decoration was later very common in the architecture of the Lubelskie area. Just a few out of the many granaries ❼❽ of early days have survived. Two of them come from the first half of the 17th century. Looking at their blocks and at the tops one can see they refer to the architecture of the parish church. The other more important Kazimierz monuments include the ruins of a Gothic castle ❹, the castle tower from the 14th century which stands isolated, a baroque reformists' cloister (17th century) with a church (1771), a hospital from the year 1635 and connected with this the church of St. Anna (1649-1670).

Kazimierz Dolny ist dank seiner malerischen Lage am Weichseldurchbruch auf einem zerklüfteten Steinfelsen eine sehr reizvolle Stadt ❷. Unter vielen sehenswerten Patrizierhäusern in Kazimierz Dolny sind Patrizierhäuser der Brüder Mikołaj und Krzysztof Przybyła ❻ und Haus des Bartłomiej Celej ❺ besonders interessant. Man kann in Polen ihresgleichen nirgendwo finden. Erbaut 1615 und 1635 zeichnen sie sich durch hohe Attiken und reich dekorierte Fassaden im Stil des italienischen und niederländischen Manierismus mit naiven Volksmotiven aus. Christliche Inhalte mischen sich dabei mit mythologischen, realistische Motive wechseln mit abstrakten ab, und alles wurde ohne jeglichen Zusammenhang mit der Bauform angebracht. Ein Vorteil solcher Inkonsequenz ist zweifellos eine gewisse Originalität, und die Einbildungskraft des Baumeisters bei der Wahl der Ziermotive läßt die Häuser sehr reizvoll erscheinen. Die einschiffige Pfarrkirche, die sich unweit des Marktplatzes ❶ erhebt, entstand in den Jahren 1586-1589 anstelle eines gotischen Goteshauses ❸. Mehr als zehn Jahre später ließ der Baumeister Jakub Balina ihre Gewölbe mit einer charakteristischen Rippendekoration in Form geometrischer Figuren, in deren Feldern Plaketten von verschiedenem Inhalt platziert wurden, verzieren. Die Dekorationsart verbreitete sich später in der manieristischen und barocken Architektur des Lubliner Raumes. Von den einst zahlreichen Getreidespeichern sind nur einige erhalten geblieben ❼❽, darunter zwei aus der ersten Hälfte des 17. Jh., deren Ansicht an die Pfarrkirche erinnert. Zu den anderen bedeutenden Sehenswürdigkeiten von Kazimierz Dolny gehören die gotische Burgruine ❹, eine frei stehende Burgbastei aus dem 14. Jh., das barocke Reformatorenkloster (17.Jh.) mit einer Kirche aus dem Jahre 1771, das Krankenhaus von 1635 und die Krankenhauskirche St. Anna (1649-1670).

Zamek-muzeum

The castle-museum ✦ Der Schloss-museum

Średniowieczny zamek Górków przebudowano w XVII wieku na rezydencję obronną, dwa stulecia później przekształconą w barokową siedzibę. Obecny zamek ❶, będący najlepszym przykładem romantycznego założenia w Polsce, powstał w połowie XIX wieku, staraniem Tytusa Działyńskiego. Obok obowiązującej wówczas mody na gotyk, realizacji ostatniej przebudowy przyświecała idea patriotyzmu. Stąd nawiązanie stylem do architektury średniowiecza, kiedy Polska rosła w potęgę, i nowe przeznaczenie siedziby, będącej zarazem przybytkiem nauki, z biblioteką i muzeum pamiątek przeszłości ❷❸. Idea Tytusa Działyńskiego dopełniła się w roku 1924, kiedy jego wnuk Władysław Zamoyski przekazał kórnickie dobra z zamkiem narodowi polskiemu.

❶

The medieval castle of the Górka family was in the 17th century rebuilt into a fortified residence. Two centuries later this in turn was transformed into a baroque residence. Today's castle ❶, which in itself is the best example of Romantic architecture in Poland, was built in the middle of the 19th century, at the initiative of Tytus Działyński. Apart form the fashionable pseudo-Gothic style, the castle was also influenced by the patriotic idea. That's why the design draws on medieval architecture, moving back in time to the period when Poland went from strength to strength, and that's why the castle was intended as a location where one could both cultivate science, and cherish the memories of the historical past, complete with a library and a museum ❷❸. The idea of Tytus Działyński found its full shape in 1924, when his grandson Władysław Zamoyski donated the Kórnik estate with the castle to the Polish nation.

Das mittelalterliche Schloss der Familie Górki wurde im 17. Jh. zu einer Wehranlage umgebaut und zwei Jahrhunderte später in eine barocke Residenz umgestaltet. Das heutige Palais ❶, das eines der schönsten romantischen Bauwerken in Polen ist, ist im 19. Jh. dank Tytus Działyński, dem damaligen Besitzer, entstanden. Beim Umbau dachte er nicht nur an den damals beliebten Baustil der Gotik, sondern er wollte zugleich seinen patriotischen Gefühlen Ausdruck geben. So erinnert die Architektur des Palastes an das Mittelalter, eine Zeit, in der Polen mächtig war. Zugleich sollte der Bau durch eine Bibliothek und durch ein Museum wissenschaftlichen Zwecken dienen ❷❸. Die Idee von Tytus Działyński wurde im Jahre 1924 realisiert, als sein Enkel Władysław Zamoyski die Güter und das Schloss dem polnischen Volk schenkte.

Zespół Starego Miasta z Wawelem

The Old Town with Wawel ✦ Die Altstadt mit dem Wawel-Schloss

Kraków, od Wawelu ❽ po bramę Floriańską ❻ i Barbakan ❼, cały jest perłą urbanistyczno-architektoniczną. W zespole są oczywiście budowle szczególnie cenne: Wawel z katedrą ❸ i zamkiem królewskim ❷, gotycki kościół Mariacki z ołtarzem Wita Stwosza, renesansowe Sukiennice ❹ czy romański kościółek św. Wojciecha ❺, usytuowane na największym w Europie placu rynkowym. Najstarszym zabytkiem jest katedra, sięgająca początkami X wieku, a w obecnej postaci prezentująca architekturę gotycką, wzbogaconą w nowszych czasach takimi klejnotami, jak renesansowa kaplica Zygmuntowska ❶ czy liczne renesansowe, barokowe i klasycystyczne nagrobki – dzieła Wita Stwosza, Bartolomea Berecciego, Santiego Gucciego, Francesca Placidiego, Bertela Thorvaldsena, Michała z Urzędowa. W romańskiej krypcie św. Leonarda znajdują się groby królów i zasłużonych Polaków. Średniowieczny zamek królewski po pożarze w 1499 roku został odbudowany w latach 1502-1536 (architekci F. Florentczyk i B. Berecci) i przekształcony w renesansową rezydencję o czterech skrzydłach wokół arkadowego dziedzińca. W XIX wieku Austriacy zamienili zamek na koszary. W 1905 roku rozpoczęto odbudowę zabytku, wraz z jego częściową rekonstrukcją. Obecnie mieszczą się w nim Państwowe Zbiory Sztuki. Zespół zabytkowy, na który składa się Stare Miasto z Wawelem, Kazimierz i Stradom, został wpisany na Listę Światowego Dziedzictwa Kulturalnego i Przyrodniczego UNESCO.

④

⑤

Kraków – from the Wawel ❽ up to the Floriańska Gate ❻ and the Barbakan ❼ – is a gem of architecture. Within the complex there are some particularly valuable buildings: the Wawel with the cathedral ❸ and the royal castle ❷, the Gothic Holy Virgin's church with the altar created by Veit Stoss, the small Romanesque St. Adalbert's church ❺ and also the Renaissance Cloth Hall (Sukiennice) ❹ situated in the largest market square in Europe. The cathedral, which dates back to the 10th century is the oldest monument. The present shrine represents the Gothic style, which in later times was enriched by such jewels of architecture as the Renaissance Sigismund Chapel ❶, numerous baroque and classicistic grave monuments – works of art created by Veit Stoss, Bartolomeo Berecci, Santi Gucci, Francesco Placidi, Bertel Thorvaldsen, Michał of Urzędów. In the Romanesque crypt of St Leonard there are graves of kings and meritorious Poles. After the fire of 1499 the medieval royal castle was reconstructed in 1502-1536 (architects F. Florentczyk and B. Berecci) and transformed into Renaissance residence with four wings around the arcaded courtyard. In the 19th century the Austrians changed the castle into military barracks. In 1905 the process of reconstruction of the monument began, with its partial restoration. At present it houses the State Art Collection. The whole complex of monuments, which includes the Old Town with the Wawel, Kazimierz and Stradom, has been put on the UNESCO's list of World Cultural and Environmental Heritage.

Krakau (Kraków) ist mit dem Wawel-Schloss ❽, dem Florianstor ❻ und der Barbakane ❼ eine architektonische Perle. In der Stadt gibt es natürlich besonders wertvolle Baudenkmäler, wie z.B. den Wawelhügel mit der Kathedrale ❸ und dem Königsschloss ❷, die gotische Marienkirche mit dem Altar von Veit Stoss, romanisches Kirchlein St. Adalbert ❺ oder das Gebäude der Tuchhallen (Sukiennice) ❹ im Renaissancestil, die sich auf dem größten Marktplatz Europas befinden. Das älteste Baudenkmal ist die Kathedrale, die im 10. Jh. errichtet wurde. In ihrer heutigen Gestalt ist sie ein gotischer Bau. Später wurde sie um solche Kleinodien wie die Sigismundkapelle ❶ im Renaissancestil und zahlreiche Grabdenkmäler im Stil des Barocks, der Renaissance und des Klassizismus, die von Veit Stoss, Bartolomeo Berecci, Santi Gucci, Francesco Placidi, Bertel Thorvaldsen und Michał aus Urzędów geschaffen wurden, bereichert. In der romanischen St. Leonhard-Krypta fanden polnische Könige und verdiente Bürger ihre ewige Ruhe. Das mittelalterliche Königsschloss wurde nach dem Brand im Jahre 1499 in den Jahren 1502-1536 wieder aufgebaut (Baumeister F. Florentczyk und B. Berecci) und in eine Renaissanceresidenz mit vier Flügeln um einen Arkadeninnenhof umgewandelt. Im 19. Jh. diente das Schloss als eine österreichische Kaserne. Seit 1905 begann man das Schloss wieder aufzubauen und teilweise zu rekonstruieren. Heute birgt es das Museum der Staatlichen Kunstsammlungen. Der Baudenkmalkomplex von Krakau, zu dem die Altstadt mit dem Wawel-Hügel sowie auch die Stadtviertel Kazimierz und Stradom gehören, ist in die Liste des Weltkulturerbes der UNESCO eingetragen.

⑥

⑦

8

Zamek Krasickich

The Krasicki castle ✦ Das Schloss der Familie Krasicki

Pod koniec XVI wieku zamek w Krasiczynie był kwadratową fortecą z cylindrycznymi bastejami w narożach i pałacem przy jednym z boków ❶. W latach 1597-1603 Marcin Krasicki przekształcił renesansowe założenie w siedzibę odpowiadającą czasom manieryzmu. Dobudował skrzydła mieszkalne z arkadowymi krużgankami, w jednej z bastei urządził kaplicę, mury i baszty podwyższył i ozdobił attyką, a na zewnątrz dostawił reprezentacyjne schody. Takiemu przekształceniu architektury przyświecał też program ideowy, ukazujący poprzez treści symboliczne szlacheckie widzenie hierarchicznego porządku świata. Wyraziło się to w nazwach przebudowanych loggi ❺ i baszt: Boskiej ❸, Papieskiej ❷, Królewskiej ❹ i Szlacheckiej. W 1614 roku ukończona została nowa brama, w postaci okazałej wieży, poprzedzonej przedbramiem i mostem nad odnogą Sanu ❻. Ta część oraz bogata dekoracja kaplicy prezentują już styl barokowy. W dziele przebudowy rezydencji uczestniczyli artyści włoscy, m.in. Gaelazzo i Appiani.

❶

2

3

4

5

At the end of the 16th century the castle in Krasiczyn was a squared fortress with cylindrical towers in the corners and a palace adjoining one of its sides ❶. During the years 1597-1603 Marcin Krasicki transformed the Renaissance foundation into a residence, following Manneristic trends of the time. Residential wings were added with an arcaded gallery, a chapel was arranged in one of the towers, and the walls and towers were made higher and decorated with an attic. On the outside of the building, Krasicki built a fashionable staircase. Such an architectural transformation was also ideologically inspired. It was showing through its symbolism the nobleman's hierarchical view of the world order. This view was expressed in the names of the reconstructed loggias ❺ and towers: Divine ❸, Papal ❷, Royal ❹ and Nobleman's. In 1614 a new gate was finished, shaped into a sumptuous tower, and introduced in front by a foregate and a bridge over a branch of the San River ❻. These elements together with the rich decoration of the chapel demonstrate baroque style. Two Italian artists, Gaellazzo and Appiani, took part in the residence reconstruction.

Gegen Ende des 16. Jh. war die Burg in Krasiczyn eine quadratische Festung mit Zylinderbasteien in den Ecken und einem Palast an einer Seite ❶. In den Jahren 1597-1603 ließ Marcin Krasicki die Renaissancefestung in eine Residenz im Stil des Manierismus verwandeln. Er baute Wohnflügel mit Arkadengängen dazu, in einer der Basteien platzierte er eine Kapelle, erhöhte die Mauer und die Basteien und ließ sie mit einer Attika verzieren, und von außen baute er eine Treppe an. Die architektonische Umgestaltung ging mit der ideologischen einher. Der Magnat wollte auf symbolische Weise die hierarchische Weltordnung des Adels zum Ausdruck bringen. So nannte er die erhöhten Loggien ❺ und Basteien: „die Göttliche“ ❸, „die Päpstliche“ ❷, „die Königliche“ ❹ und „die Adlige“. 1614 wurde mit dem Bau eines neuen Tores im monumentalen Turm begonnen, mit einem Vortor und einer Brücke über dem Zufluß vom San, ❻. Das Tor sowie die reiche Verzierung der Kapelle geben den barocken Geist wieder. An der Umgestaltung beteiligten sich italienische Spitzenmeister, wie z.B. Galeazzo und Appiani.

6

Dawne opactwo cystersów

The former Cistercian abbey ✦ Die ehemalige Zisterzienserabtei

Opactwo cystersów w Krzeszowie ufundowane zostało w 1292 roku przez księcia świdnickiego Bolka I. Na przestrzeni stuleci budowle klasztorne poddawane były wielokrotnym zmianom. Obecne pochodzą z lat 1728- 1735 i są dziełem architekta Augustyna Jentscha oraz rzeźbiarza Ferdynanda Brokofa ❶. Krzeszowski zespół stanowi kwintesencję ducha baroku. Znajdujemy tutaj wszystko to, co było charakterystyczne dla późnego okresu tego stylu – oszałamiające bogactwo form, wspaniałość architektury i efektywność układów wewnętrznych. Ściany wewnętrzne kościoła, przepełnione dekoracją, łamią się fantazyjnie i miękko, niczym giętka tkanina. Wyposażenie wnętrza ❷❺, o niezwykłym bogactwie kształtów, zdaje się przekraczać granice wyobraźni. Odczucie to potęguje dodatkowo iluzjonistyczna polichromia sklepień, zacierająca granice między przestrzenią realną a imaginacyjną. W przyległej do kościoła kaplicy znajduje się mauzoleum Piastów świdnickich, z gotyckimi nagrobkami Bolka I i Bolka II ❹, na wspaniałych barokowych tumbach ❸.

❶

Die Zisterzienserabtei in Grüssau (Krzeszów) wurde im Jahre 1292 vom Fürsten Bolko I. von Świdnica gestiftet. Im Laufe der Jahrhunderte wurde die Klosteranlage mehrmals umgebaut. Die heutigen Gebäude stammen aus der Zeit zwischen 1728-1735 und verdanken ihre Gestalt dem Baumeister Augustin Jentsch und dem Bildhauer Ferdinand Brockoff ❶. Den Baukomplex in Grüssau kann man als Quintessenz des barocken Geistes bezeichnen. Wir können hier alle charakteristischen Merkmale des Spätbarocks bewundern: atemberaubende Formenvielfalt, Prächtigkeit der Bauweise und Eleganz der Innenarchitektur. Die reich dekorierten Außenwände der Kirche scheinen wie ein geschmeidiger Stoff zu sein, der sich weich und phantasievoll formen lässt. Der Formenreichtum der Innenausstattung ❷❺ übersteigt beinahe die Grenzen unserer Einbildungskraft. Den Eindruck verstärkt noch die illusionistische Deckenmalerei, die den Übergang von Wirklichkeit zu Phantasie verwischt. Die an die Kirche anliegende Kapelle birgt das Mausoleum der Schweidnitzer Piasten mit gotischen Grabdenkmälern der Fürsten Bolko I. und Bolko II. ❹ auf herrlichen barocken Tumben ❸.

The Cistercian abbey in Krzeszów was founded in 1292 by the Duke of Świdnica, Bolko I. Over the centuries the abbey buildings were subject to many changes. Today's buildings originated between 1728-1735 and are the work of an architect Augustyn Jentsch and a sculptor Ferdynand Brokof ❶. The Krzeszów abbey is a quintessential baroque structure. We can find there everything that's so characteristic for the late baroque style – dazzling variety of forms, splendid architecture and efficient structural systems. The interior walls of the church, overflowing with decorative details, follow a smooth, fantasy-like shape, as if they were a supple cloth. Interior design ❷❺, full of unusually rich shapes seems to step across the boundaries of imagination. This feeling is additionally reinforced by optical illusions painted on the vaults, erasing the boundaries between the real and imaginary space. In the adjoining chapel, there's a mausoleum of the Świdnica Piast dynasty, with gothic grave monuments of Bolko I and Bolko II ❹, each mounted on a splendid baroque sarcophagus ❸.

Dawne opactwo cystersów

The former Cistercian abbey ✦ Die ehemalige Zisterzienserabtei

Opactwo cystersów w Lądzie sięga metryką roku 1175. Kościół ❶ i klasztor ❷, wielokrotnie przebudowywane, mają dziś architekturę barokową ❸, ukształtowaną w XVII i XVIII wieku. Elementy gotyku znajdujemy w sklepieniach refektarza ❻ i części budynków klasztornych, o wspaniałości architektury decyduje jednak barok, pyszniący się w formach dwuwieżowej fasady, a przede wszystkim w ogromnej rozpiętości kopule. Kopułę wzniósł Pompeo Ferrari, a jej wnętrze ozdobił iluzjonistyczną polichromią ❼, wyobrażającą niebo przepełnione świętymi, malarz śląski Wilhelm Jerzy Neunhertz. Nawa kościoła ❹❺, przebudowana przez Ferrariego w latach 1728-1735, jest uważana za najwybitniejsze dzieło tego architekta. Ściany oratorium pokrywa gotycka polichromia z XIV wieku ❽.

❶

❷

❸

The Cistercian abbey in Ląd dates back to 1175. The church ❶ and the monastery ❷ were reconstructed many times, and its present architecture in the baroque style ❸ was shaped in the 17th and 18th centuries. Gothic items may be found in the vaults of the refectory ❻ and of some of the monastery buildings, but it is the baroque style, displayed on the front elevation with two towers and the dome of great span, which make the architecture magnificent. The dome was constructed by Pompeo Ferrari, and the interior was decorated by illusionistic polychromy ❼, depicting heaven filled with saints, created by Silesian painter Wilhelm Jerzy Neunhertz. The nave of the church ❹❺, reconstructed by Ferrari in 1728-1735, is regarded as the greatest achievement of this architect. The walls of the oratory are covered by 14th-century Gothic polychromy ❽.

Die Zisterzienserabtei in Ląd wurde bereits 1175 errichtet. Die Kirche ❶ und das Kloster ❷, die mehrmals umgebaut wurden, haben heute eine barocke Architektur ❸, die im 17. und im 18. Jh. gestaltet wurde. Die Spuren der Gotik findet man in Gewölben des Refektoriums ❻ und einige Klostergebäuder, das Barock jedoch verleiht der Anlage besondere Schönheit. In diesem Stil wurde die prächtige Fassade mit zwei Türmen und vor allem die riesengroße Kuppel über dem Kirchenschiff errichtet. Die letzte wurde von Pompeo Ferrari gebaut und vom schlesischen Maler G.W. Neunhertz mit einem illusionistischen Wandgemälde ❼ bedeckt, das die Heiligen im Himmel darstellt. Das von Ferrari in den Jahren 1728-1735 umgebaute Kirchenschiff ❹❺ gilt als das beste Werk des italienischen Baumeisters. Die Wände im Oratorium ziert eine gotische Malerei aus dem 14. Jh ❽.

❺

❹

❻

❼

Dawny zespół klasztorny benedyktynów

The former Benedictine monastery complex

Der ehemalige Benediktinerklosterkomplex

Klasztor benedyktynów, ufundowany przez św. Jadwigę, powstał w latach 1723-1733 na miejscu śmierci jej syna Henryka, poległego w bitwie z Tatarami. Z obecnego założenia klasztornego tylko kościół ❶❷ zachował niezmienioną postać, bowiem klasztor przebudowano w końcu XIX wieku. Świątynia – dzieło praskiego architekta Ignacego Dientzenhofera, należy do najcenniejszych zabytków barokowych na Śląsku. Tak w planie, jak i w architekturze doskonale oddaje ducha tego stylu. Panują tu niepodzielnie linie obłe, półkoliste i eliptyczne, kształtując architekturę o niezwykle falistych, miękkich formach. W bogato wyposażonym wnętrzu zwraca uwagę pokrywająca sklepienia polichromia ❸❹, autorstwa Kosmy Damiana Asama, tematycznie związana ze śmiercią Henryka Pobożnego.

❶

The Benedictine monastery founded by St. Jadwiga, was built between 1723-1733 on the site of the death of her son Henryk who died in battle with Tartars. Today the only part of the monastery that stayed unchanged is the church ❶❷, because the monastery was reconstructed at the end of the 19th century. The shrine – a work of the Prague architect Ignacy Dientzenhofer, belongs among the most precious baroque buildings in Silesia. Both in its layout and in architectural detail it provides an excellent example of the baroque spirit in architecture. The place is filled with ovals, semicircles and elliptical shapes, creating architecture characterized by extremely wavy, soft forms. The rich interior attracts the visitor's attention with the murals on the vaults ❸❹, painted by Kosma Damian Asam, with their themes related to the death of Henryk Pobożny (the Pious).

❸

❷

Das Benediktinerkloster, von der heiligen Hedwig gestiftet, wurde an dem Ort errichtet, wo ihr Sohn in der Schlacht gegen ein Tatarenheer gefallen war. Von der einstigen Klosteranlage ist nur die Kirche ❶❷ unverändert erhalten geblieben, denn das Kloster wurde Ende des 19. Jh. umgebaut. Die Kirche, ein Werk des Prager Baumeisters Ignaz Dientzenhofer, gehört zu den schönsten barocken Baudenkmälern in Schlesien. Sowohl der Grundriss als auch die architektonischen Formen geben den barocken Geist getreu wieder. Das Bauwerk zeichnet sich durch ovale, halbrunde und elliptische Linien aus, die es sehr weich und wellenartig erscheinen lassen. Im reich ausgestatteten Inneren verdient die Deckenmalerei von Cosmas Assam, die an den Tod Heinrichs II. Pobożny erinnert, besondere Beachtung ❸❹.

❹

Bazylika

The basilica ✦ Die Basilika

Późnorenesansowa bazylika wzniesiona została w latach 1618-28. Posiada korpus czteroprzęsłowy, o nawie głównej przechodzącej w dwuprzęsłowe zamknięte półkoliście prezbiterium, przy którym znajdują się dwie kwadratowe kaplice kopułowe. Wnętrze wyposażone jest bogato w wybitne dzieła snycerki ❸ z XVIII wieku. Oprócz okazałego wczesnobarokowego ołtarza głównego ❹ bazylika posiada 13 ołtarzy rokokowych. Najwspanialszc w Polscc organy ❷ (1678-1682) i prospekt wypełniają zachodnie ściany naw, z czarnozłotą bogatą dekoracją rzeźbiarską, figuralną i ornamentalną. Na uwagę zasługują również misternie zdobione stalle. Z kościołem łączy się czteroskrzydłowy budynek klasztorny z narożnymi pawilonami. Cały zespół otoczony jest murem obronnym z XVII wieku z trzema bastejami i drewnianymi podcieniami przy murze ❶.

❶

The late-Renaissance basilica was erected in the years from 1618 to 1628. It has a four-arc corpus, the main nave, traversing to the closed, semi-circlar, two-arc presbytery, along with two square copula chapels can be found. The interior is richly adorned in splendid pieces of woodcraft work from the 18th century ❸. Apart from the early-baroque altar ❹, the basilica also has thirteen Rococo altars. The most magnificent organs in Poland ❷ (1678-82) and black cloth decorate the west walls of the naves with black and gold woodcraft, and figural and ornamental decorations. One should note the masterfully decorated iron. The church is connected with a four-wing cloister building with corner pavilions. The whole arrangement is flanked by the defensive wall from the 17th century with three bastions and a wooden arcade along the wall ❶.

Die Spätrenaissance-Basilika in Leżajsk wurde in den Jahren 1612-1628 errichtet. Es ist ein Bau von vier Jochen. Sein Hauptschiff endet mit einem halbrund geschlossenen Presbyterium von zwei Jochen, woran zwei quadratische Kuppel-Kapellen anliegen. Das Innere ist reich mit hervorragenden Werken der Schnitzkunst aus dem 18. Jh. ausgestattet ❸. Außer dem prächtigen frühbarocken Hauptaltar hat die Basilika auch 13 Rokoko-Altäre ❹. An der westlichen Wand, die mit schwarz-goldenen Figuren und Ornamenten geschmückt ist, befindet sich die prächtigste polnische Orgel ❷ (1678-1682). Beachtenswert ist auch das reich verzierte Chorgestühl. Mit der Kirche sind vier Flügel des Klosters mit Pavillons in den Ecken verbunden. Die Klosteranlage wird von einer Wehrmauer aus dem 17. Jh. mit drei Basteien und Arkaden aus Holz umgeben ❶.

❷

❸

❹

Zamek biskupów warmińskich

The Warmia bishops' castle ✦ Das Schloss der Ermländer Bischöfe

Pod koniec pierwszej połowy XIII wieku na miejscu, gdzie dzisiaj stoi zamek, Krzyżacy wznieśli gród, przekazując go wkrótce biskupom warmińskim. Sto lat później biskupi podjęli budowę zamku, która trwała pół wieku. W roku 1466 Lidzbark znalazł się w granicach Polski, a zamek aż do I rozbioru stanowił siedzibę biskupów polskich. Ostatni biskup przed rozbiorami – Ignacy Krasicki tu napisał swe najcenniejsze prace. Zamek ❶ tworzą cztery skrzydła, skupione wokół dziedzińca z piętrowymi krużgankami ❷❸. Na zewnątrz surowość ceglanej architektury łagodzą kształtne wieżyczki narożne. Ozdobą prostych gotyckich wnętrz są portale ❹ i sklepienia o gęstej siatce żeber ❺❻. Obecnie w zamku mieści się muzeum regionalne.

❶

At the end of the first half of the 13th century, at the location of today's castle, Teutonic Knights built a fortified structure which they soon transferred to Warmia bishops. One century later, the bishops began the construction of the castle, which took them over half a century. In 1466 Lidzbark found itself inside Polish borders and untill the first partition of Poland it was a seat of Polish bishops. Ignacy Krasicki, the last bishop who resided there before the partitions of Poland, wrote his best pieces here. The castle ❶ consists of four wings, entered around the courtyard, with multi-level arcade galleries ❷❸. On the outside, the severity of brick architecture is smoothened by shapely turrets. Simple Gothic interiors are decorated just by the portals ❹ and the vaults adorned with an intricate network of ribs ❺❻. Currently the castle houses the Regional Museum.

Ende der ersten Hälfte des 13. Jh. an der Stelle, wo heute das Schloss steht, errichtete der Deutsche Orden eine Burg, die bald in den Besitz der Ermländer Bischöfe überging. Hundert Jahre danach begannen die Bischöfe mit dem Bau eines Schlosses, der ein halbes Jahrhundert lang dauerte. Seit dem Jahre 1466 unterstand Lidzbark polnischer Lehenshohheit und im Schloss residierten bis zur ersten Teilung polnische Bischöfe. Der letzte Bischof vor der Teilung – Ignacy Krasicki – hat hier seine bedeutendsten Werke geschrieben. Das Schloss hat vier Flügel ❶, die um einen Innenhof mit doppelstöckigen Kreuzgängen errichtet wurden ❷❸. Von Außen zieren den strengen Backsteinbau schlanke Ecktürme. Die schlichten gotischen Innenräume zeichnen sich durch die Portale ❹ und die Rippengewölbe aus ❺❻. Im Schloss hat heute ein Regionalmuseum seinen Sitz.

Dawne opactwo cystersów

The former Cistercian abbey ✦ Die ehemalige Zisterzienserabtei

Architektoniczny kompleks pocysterski ❶ w Lubiążu jest największym założeniem klasztornym w Polsce i jednym z największych w Europie. Długość fasady klasztoru, z wkomponowanym pośrodku dwuwieżowym segmentem kościoła wynosi 223 metry ❷. Opactwo ufundował w 1175 roku książę Bolesław Wysoki, przyznając mu bogate uposażenie. Klasztor nie uniknął różnych klęsk, a każda odbudowa powodowała istotne zmiany w architekturze. Obecny, barokowy wygląd zespołu ukształtowany został w latach 1685-1715. Styl gotycki zachowały tylko główna nawa i prezbiterium kościoła oraz książęca kaplica nagrobna. W krypcie pochowani zostali liczni książęta legniccy, głogowscy, żagańscy i ścinawscy. Bogate wyposażenie kościoła zniszczone zostało w 1945 roku. Spośród wielu pomieszczeń klasztornych wyróżniają się, ozdobione polichromiami, biblioteka, refektarz i sala książęca ❸❹❺.

❶

❷

❸

The post-Cistercian complex in Lubiąż ❶ is the largest monastery complex in Poland and it is also one of the largest complexes of such type in Europe. The monastery facade, with centrally located church segment and its two towers, is 223 meters long ❷. The abbey was founded in 1175 by the Duke Bolesław Wysoki (the Tall) who assigned large donations to the convent. The monastery didn't avoid its share of disasters, and each reconstruction resulted in some architectural changes. Its baroque appearance was shaped between 1685-1715. The Gothic character was retained only by the nave and presbytery of the church, and the duke's burial chapel. The crypt holds the remains of many dukes of Legnica, Głogów, Żagań and Ścinawa who were buried there. The rich interior of the church was destroyed in 1945. Among many rooms in the monastery, attention should be given to the library, refectory and the duke's hall ❸❹❺, all of them decorated by murals.

❹

❺

Die ehemalige Zisterzienserklosteranlage ❶ in Leubus (Lubiąż) ist die größte in Polen und eine der größten in Europa. Die Klosterfassade ist zusammen mit der in die Mitte eingebauten doppeltürmigen Kirche 223m lang ❷. Die Abtei wurde im Jahre 1175 von Herzog Bolesław Wysoki gestiftet und reichlich ausgestattet. Das Kloster blickt auf viele Zerstörungen zurück, und jeder Wiederaufbau bedeutete eine wesentliche Veränderung seiner Architektur. Die heutige barocke Ansicht verdankt das Stift den Bauarbeiten in den Jahren 1685–1715. Im gotischen Stil sind nur das Hauptschiff sowie das Presbyterium der Kirche und die Grab-Kapelle des Herzogs erhalten geblieben. In der Krypta fanden zahlreiche Fürsten von Legnica, Głogów, Żagań und Ścinawa ihre ewige Ruhe. Die prächtige Ausstattung der Kirche wurde 1945 zerstört. Unter vielen Klosterräumen zeichnen sich durch farbige Wand-Malereien die Bibliothek, das Refektorium und der Fürstensaal ❸❹❺ aus.

Zamek pojoannicki

The castle of the Knights of St John of Jerusalem

Das ehemalige Johanniterschloss

W Łagowie spotykamy się z najmniejszym średniowiecznym założeniem miejskim w Europie. Tworzy je zamknięta bramami jedna ulica długości 120 metrów, zbudowana na szesnastu zwartych parcelach. Cały ten miniaturowy układ urbanistyczny usytuowany jest na przesmyku między jeziorami, u stóp potężnego zamku. Zamek jest też dominującym elementem w malowniczej panoramie Łagowa ❶. Mimo barokowej szaty, w jaką przybrany został w XVIII wieku, zdradza swój średniowieczny rodowód wysokim posadowieniem i surowością masywnej wieży. Zbudowany został po 1350 roku, kiedy osiedli tutaj rycerze zakonu joannitów, tworząc komandorię. W rozbudowanym i przekształconym obiekcie z gotyckich wnętrz zachowała się sala rycerska, nakryta krzyżowo-żebrowym sklepieniem na filarach ❸. Inne sale mają wystrój barokowy i klasycystyczny ❷.

In Łagów we can see the smallest medieval town in Europe. It consists of a single street 120 meters long, closed by gates and built over sixteen compact plots of land. This whole miniature urban plan is located on a narrow strip of land between two lakes, at the foot of a mighty castle. The castle itself is a dominant element in the picturesque panorama of Łagów ❶. Despite its baroque trimmings it received in the 18th century, the castle still reveals its medieval character through its location high above the surrounding area and the austere shape of its massive tower. It was built after 1350 when the Knights of St John of Jerusalem arrived to the site and settled there, creating their command center. In the building which was later rebuilt and extended, one can still find the Gothic interior of the Knights' Hall, covered by a rib vault supported by pillars ❸. Another halls have baroque and classicistic interior decorations ❷.

In Lagow (Łagów) finden wir die kleinste mittelalterliche Stadtgründung in Europa. Sie besteht aus einer 120m langen auf 16 Gründstücken gebauten Strasse, die auf beiden Seiten mit Toren endet. Dieses winzige städtische System liegt auf einer Landzunge zwischen zwei Seen am Fusse eines gewaltigen Schlosses. Das Schloss dominiert auch über die malerische Landschaft von Lagow ❶. Obgleich es im 18. Jh. im barocken Stil umgebaut wurde, verrät es seinen mittelalterlichen Ursprung durch die hohen Fundamente und den massiven, einfach gebauten Turm. Das Schloss wurde nach 1350 gebaut, als sich hier der Johanniterorden niederließ und es zu einer Wehranlage ausgebaut hat. Im um- und ausgebauten Schloss ist ein gotischer Rittersaal erhalten geblieben mit einem auf Pfeiler gestützten Kreuz-Rippen-Gewölbe ❸. Andere Räume wurden im barocken und klassizistischen Stil ausgestattet ❷.

❷

❸

Zamek Lubomirskich

The Lubomirski castle ✦ Das Schloss der Familie Lubomirski

Rozległe dobra należały w średniowieczu do Toporczyków, potem do Stadnickich, a od 1626 roku do Lubomirskich. W latach 1629-1641 Stanisław Lubomirski, wojewoda krakowski, wzniósł na miejscu dawnego zamku obronną rezydencję, zaprojektowaną przez Macieja Trapolę. Powstało założenie czteroskrzydłowe ❶ z prostokątnym dziedzińcem wewnętrznym i alkierzowymi basztami na narozach ❸❺. Obecna architektura zamku uformowana została w przebudowach po 1683 roku (zachowane skrzydło zachodnie z salą jadalną i biblioteką) i kolejnych – w XVIII wieku (rokokowa sala teatralna, salonik zielony ❽) i w latach 1894-1903 (klasycystyczna dekoracja wnętrz sali balowej ❹ czy sypialni ❼ oraz salonik chiński ❻). W otoczeniu zamku, który stanowi obecnie muzeum, znajduje się rozległy park, w części geometryczny ❷.

The vast estate belonged in the Middle Ages to the Toporczyk family, later to the Stadnicki family and after 1626 – to the Lubomirski family. In the years 1629-1641 Stanisław Lubomirski, the Cracow voivode, built on the site of a former castle a fortified residence, designed by Maciej Trapola. The residence was planned as a four-wing structure ❶ with a rectangular internal yard and angle turrets ❸❺. The present architecture of the castle was formed during reconstruction conducted after 1683 (the preserved western wing with the dining hall and the library) as well as during subsequent refurbishment – in the 18th century (the rococo theatre hall and the green parlour ❽), and between 1894-1903 (classicizing interior decoration of the ball-room ❹ and the bedroom ❼ as well as the Chinese parlour ❻). The castle – now turned into a museum – is surrounded by a large park, partially a French garden ❷.

Das ausgedehnte Gut in Łańcut gehörte im Mittelalter der Familie Toporczyk, danach der Familie Stadnicki, und seit 1626 der Familie Lubomirski. Stanisław Lubomirski, Krakauer Woiwode, ließ 1629-1641 anstelle des früheren Schlosses eine Festung nach Entwurf von Maciej Trampola errichten. Es entstand ein viereckiger Palast ❶ mit einem eckigen Innenhof und Ecktürmen ❸❺. Die heutige Silhouette des Schlosses entstand nach mehreren Umgestaltungen: der Westflügel mit Esszimmer und Bibliothek nach 1683, der Rokokotheatersaal und der grüne Salon ❽ im 18. Jh. und in den Jahren 1894-1903 die klassizistische Innendekoration des Ballsaales ❹ oder des Schlafgemachs ❼, sowie der chinesische Salon ❻. Die nächste Umgebung des Schlosses, das zu einem Museum geworden ist, bildet ein teilweise geometrisch angelegter Park ❷.

1

Dawny pałac Izraela Poznańskiego

The former Israel Poznański's palace

Der vormalige Palast von Israel Poznański

Jedną z najbardziej efektownych łódzkich budowli jest dawny pałac Izraela Poznańskiego, zaprojektowany przez architekta Hilarego Majewskiego. Swą obecną formę uzyskał po przebudowie w 1898 roku i rozbudowie, trwającej do roku 1903. Z zewnątrz korpus głównego budynku otrzymał monumentalny neobarokowy wystrój z bogatą dekoracją i alegorycznymi rzeźbami ❷. Budynek został nakryty kopułami, które kryją największe sale: dużą jadalnię i salę balową – reprezentacyjne pomieszczenie pałacu z płaskim trójdzielnym sufitem; salę obiega fryz zdobiony rzeźbami alegorycznymi oraz doświetlające wnętrze owalne okna ❶. Ścianę zachodnią zdobi kredens z okazałym grzebieniem ❺, zaś ścianę z kominkiem ❹ największe z malowideł – *Pożegnanie*. Na uwagę zasługuje Galeria Muzyki im. Artura Rubinsteina ❸. Od 1975 roku mieści się tu Muzeum Historii Miasta Łodzi.

One of the most effective buildings in Łódź is the former palace of Israel Poznański, designed by architect Hilary Majewski. It gained its current appearance after the reconstruction in 1898 and partial building work lasting until 1903. The corpus received a monumental, neo-baroque decoration with rich ornamental and allegorical sculptures ❷. The building was covered with copulas which shelter the most spacious halls: a large dining hall and a ballroom – a representative place in the palace with a flat, tripartite ceiling; the hall is flanked by a rail decorated with allegorical sculptures and the interior, which is illuminated by the oval windows ❶. The west wall is embellished by a cupboard with a wondrous comb ❺, and the fireplace ❹ is decorated with a painting, *Parting*. The Arthur Rubinstein's Music Gallery is worth your attention ❸. Since 1975 the Historical Museum of Łódź has been located there.

Einer der beeindruckendsten Bauten in Lodsch (Łódź) ist der ehemalige Palast von Israel Poznański, entworfen von Hilary Majewski. Seine heutige Gestalt bekam er nach dem Um- und Ausbau in den Jahren 1898-1903. Von Außen bekam das Gebäude eine neobarocke Dekoration mit allegorischen Skulpturen ❷. Es wurde mit Kuppeln bedeckt, unter denen die größten Säle geborgen sind, nämlich das Esszimmer und der Ballsaal – ein repräsentativer Raum mit einer flachen dreiteiligen Decke. Um den Saal herum findet man einen mit allegorischen Skulpturen verzierten Fries und ovale Fenster, die in das Innere mehr Licht reinlassen ❶. Die westliche Wand schmückt die Anrichte mit einem ansehnlichen Kamm ❺, und an der Kaminwand ❹ hängt das größte Gemälde in dem Saal – *Der Abschied*. Beachtenswert ist die Musikgalerie namens Arthur Rubinstein ❸. Seit 1975 birgt der Palast in seinen Räumlichkeiten das Museum für Stadt-Geschichte von Lodsch.

Zamek krzyżacki

The Teutonic Knights' castle ✦ Die Ordensburg

Ogromny wieloczłonowy kompleks malborski ❶, złożony z zamków Wysokiego, Średniego i Dolnego, wznoszono stopniowo od 1275 roku do połowy XIV wieku. W następnym stuleciu potężną warownię Krzyżacy otoczyli dodatkowym murem z bastejami dla artylerii. W roku 1457 Kazimierz Jagiellończyk przyłączył Malbork do Polski i odtąd zamek stał się jedną z rezydencji królów polskich. Po rozbiorach Prusacy urządzili w zamku koszary i rozebrali niektóre budynki. Protesty ludności sprawiły, że od 1817 roku rozpoczęto konserwację zespołu, najpierw w duchu romantycznym, a od 1882 roku w sposób naukowy, oparty o badania i dokumentację archiwalną. Po zniszczeniach w roku 1945 i 1953 (pożar) starannie odbudowany, mieści w części pomieszczeń muzeum ❸❹❺. Z licznych komnat najokazalej prezentuje się rezydencja wielkiego mistrza oraz wielki refektarz ❷ ze sklepieniami palmowymi, wspartymi na smukłych, granitowych kolumnach. Zamek krzyżacki ❻ – jeden z najcenniejszych zabytków gotyckiej architektury obronnej w Europie – został wpisany na listę Światowego Dziedzictwa Kulturalnego i Przyrodniczego UNESCO.

❶

The huge multi-part Malbork complex ❶ consisting of the Upper, Middle and Lower castles was being built gradually from 1275 until the middle of the 14th century. In the next century the huge fortress was surrounded by the Teutonic Knights by additional wall with turrets for artillery. In 1457 Malbork was annexed by Casimir Jagiellon to Poland and later it served as one of the seats for Polish kings. After the partitions of Poland the Prussians set up barracks in the castle and dismantled some buildings. As a result of protests by the population, maintenance work in the complex started in 1817, first in romantic spirit, and since 1882 in a scientific way on the basis of research and archive documentation. After the destruction in 1945 and 1953 (fire) the castle was thoroughly reconstructed and today there is a museum occupying some of its rooms ❸❹❺. Among the numerous rooms the most prominent are the Grand Master's room and also the Great Refectory ❷ with palm vault based on slim granite columns. The Teutonic Knights' castle ❻, which is one of the most valuable monuments of defensive Gothic architecture in Europe, has been put on the UNESCO's list of World Cultural and Environmental Heritage.

③

②

④

Den riesigen mehrteiligen Wehrkomplex in Marienburg (Malbork) ❶, der aus dem Hochschloss, Mittelschloss und Unterschloss besteht, baute man allmählich von 1275 bis zur Hälfte des 14. Jh. Im folgenden Jahrhundert umgab der Deutsche Orden die mächtige Wehranlage mit einer zusätzlichen Mauer mit Basteien für die Artillerie. 1457 fügte König Kazimierz Jagiellończyk Marienburg Polen an und der Orden musste seine Burg an die polnische Krone abtreten. Nach den Teilungen Polens war die Burg eine preußische Kaserne. Die Preußen haben auch manche Gebäude abgerissen. Den Protesten der Bevölkerung hat die Burg zu verdanken, dass man seit 1817 mit der Renovierung der Anlage begann, zunächst im romantischen Geiste, dann seit 1882 auf eine wissenschaftliche Weise, indem man sich an die Untersuchungsergebnisse und archivale Dokumente anlehnte. Nach zwei Bränden (1945, 1953) wurde die Burg sorgfältig wiederaufgebaut und birgt jetzt in einem Teil von ihren Räumen ein Museum ❸❹❺. Von mehreren Gemächern verdient die Residenz des Hochmeisters und das große Refektorium ❷ mit einem Palmengewölbe, auf schlanke Granitsäulen gestützt, besondere Beachtung. Die Ordensburg ❻ – einer der wertvollsten gotischen Wehrbauten in Europa – wurde in die Liste des Weltkulturerbes der UNESCO eingetragen.

⑤

6

Zamek krzyżacki

The Teutonic Knights' castle ✦ Die Ordensburg

Usytuowany na wyniesieniu poza miastem zamek ❶, wzniesiony na miejscu starszej warowni, powstał w końcu XIV wieku, jako siedziba krzyżackiego wójta. W 1410 roku został zdobyty przez wojska Władysława Jagiełły, a 46 lat później opanowany przez mieszczan i oddany Polsce. W roku 1466 powrócił jednak w ręce zakonu. Zamek ma plan prostokąta, z wielkim domem mieszkalnym, zamykającym jeden bok dziedzińca z drewnianymi gankami ❷. Budynek bramny flankują masywne czworoboczne wieże. Wśród komnat wyróżnia się walorami plastycznymi przesklepiony gwiaździście wielki refektarz ❹ oraz zdobiona polichromią kaplica ❺.

Podczas II wojny światowej zamek uległ znacznemu zniszczeniu. Obecnie w odbudowanych wnętrzach znajduje się hotel, biblioteka i Dom Kultury ❸.

❶

Situated on a hill outside the town, the castle ❶ was built at the end of the 14th century on the site of a former stronghold, as a residence of a Teutonic Order official. In 1410 it was taken by the troops of the King Ladislaus Jagiełło, and 46 years later taken over by townspeople and returned to Poland. In 1466, however, it went back into the hands of the Teutonic Order. The castle is built on a plan of a rectangle, with a large mansion taking one side of the rectangle with wooden galleries ❷. The gate building is flanked by massive rectangular towers. Among the rooms, the distinguishing features are those of the main refectory with its stellar vault ❹ and the chapel, decorated with murals ❺.

During the Second World War the castle was substantially damaged. Today the reconstructed castle houses a hotel, a library and a community cultural center ❸.

2

Die auf einer Anhöhe außerhalb der Stadt gelegene Ordens-Burg ❶ wurde anstelle eines älteren Wehrbaus Ende des 14. Jh. als Sitz eines Vogtes des Deutschen Ritterordens gebaut. Im Jahre 1410 eroberte sie das Heer von Władysław Jagiełło, und 46 Jahre später wurde sie vom Bürgertum übernommen und an Polen zurückgegeben. Im Jahre 1466 kehrte sie jedoch in den Besitz des Ordens zurück. Die Burg ist auf einem rechteckigen Plan gebaut mit einem großen Wohnhaus, das eine Seite des Innenhofes mit hölzernen Arkadengängen schließt ❷. Das Torgebäude hat zu beiden Seiten gewaltige, viereckige Türme. Unter den Innenräumen der Burg zeichnen sich das grosse Refektorium ❹ mit einem Sterngewölbe und die Kapelle mit einem Wandgemälde aus ❺. Während des Zweiten Weltkrieges wurde die Burg wesentlich zerstört. In den wieder aufgebauten Räumen befinden sich jetzt ein Hotel, eine Bibliothek und ein Kulturhaus ❸.

3

4

5

Pałac

The palace ✦ Der Palast

W Nieborowie istniał XVI-wieczny dwór obronny, zniszczony w czasie najazdu szwedzkiego. Obecny barokowy pałac ❶ wzniesiony został przez prymasa Michała Radziejowskiego, według projektu Tylmana z Gameren. W XVIII wieku pałac stał się żywym ośrodkiem kultury, z okazałą biblioteką i zbiorami sztuki. Śladem przekształceń dokonanych we wnętrzach przez ówczesnych właścicieli – Ogińskich i Radziwiłłów – są niektóre sale, zdobione roko-kowym i klasycystycznym wystrojem ❷❸❹❺. Od 1945 roku pałac jest oddziałem Muzeum Narodowego w Warszawie.

❶

In Nieborów there was a 16th-century defensive mansion, which was destroyed during the invasion by the Swedes. The existing baroque palace ❶❷ was erected by Primate Michał Radziejowski, the designer was Tylman of Gameren. In the 18th century the palace was a centre of cultural life, with its rich library and art collection. Some rooms with rococo and classicistic interior decorations ❸❹❺ bear the traces of transformations realized by the palace's former owners – the Ogiński and Radziwiłł families. Since 1945 the palace has been a branch of the National Museum in Warsaw.

In Nieborów gab es einst einen Wehrhof aus dem 16. Jh, der während des Einfalls der Schweden (1655-1660) zestört wurde. Der heutige barocke Palast ❶❷ wurde für Kardinal Michał Radziejowski nach dem Entwurf von Tylman van Gameren errichtet. Im 18. Jh. wurde der Palast zu einem lebhaften Kulturzentrum mit einer reichen Bibliothek und einer hervorragenden Kunstsammlung. Die damaligen Besitzer des Palastes, die Magnatenfamilien Ogiński und Radziwiłł, haben seine Innenräume im Stil des Rokokos und des Klassizismus weitgehend umgestaltet ❸❹❺. Seit 1945 ist hier eine Zweigstelle des Nationalmuseums in Warschau.

2

3

4

5

Rezydencja barokowa

The baroque residence ✦ Die Barocke Residenz

Pierwszy zamek w Niepołomicach został wzniesiony w połowie XIV wieku dla Kazimierza Wielkiego. Potem rozbudowywali go Władysław Jagiełło i Zygmunt Stary. Po pożarze, który wybuchł tu w 1550 roku, rozpoczęto budowę renesansowego zamku dla księcia Zygmunta Augusta, trwającą do 1571 roku. Pracami kierował mistrz Tomasz Grzymała. W efekcie powstała budowla nawiązująca stylem do pałaców włoskich. Wokół kwadratowego dziedzińca znajdują się jednotraktowe skrzydła, pierwotnie dwupiętrowe, po 1800 roku zredukowane przez Austriaków do jednego piętra. Około 1637 roku w miejsce drewnianych krużganków wystawiono arkadowe, na piętrze kolumnowe ❶, w przyziemiu filary. W dwóch narożach dziedzińca są czterobiegowe otwarte klatki schodowe. Od południa na osi brama wjazdowa z renesansowym portalem z 1552 roku i ogzymsowanym parapetem z dekoracją heraldyczną z XVIII wieku.

Aż do śmierci Stefana Batorego w 1586 roku pałac był rezydencją królów Polski, potem siedzibą starostów. Od „potopu" szwedzkiego, kiedy został zajęty i ograbiony, rozpoczął się długoletni okres zaniedbania i popadania w ruinę. Po I rozbiorze Polski Austriacy przeznaczyli go na koszary. Obecnie, po przeprowadzonym niedawno gruntownym remoncie, jest siedzibą wielu instytucji kulturalnych.

❶

The first castle in Niepołomice was erected in the mid-14th century for Casimir the Great. It was later extended by Vladislav Jagiełło and Sigmund the Old. After the fire in 1550, the construction of a Renaissance castle for prince Sigmund August was initiated, and it took twenty-one years to complete it. The works were managed by master Thomas Grzymała. As a result, a structure referring to Italian palaces in style was built. One-track wings, originally two-story, after 1800 reduced to one story only by Austrians, surround the square courtyard. About 1637, arcade cloisters substituted wooden ones; there were column cloisters on the first floor, and pillars in the basement. There are open staircases with four flights of stairs in two corners of the courtyard. On the southern side – an entrance gate with Renaissance portal from 1552 and corniced windowsill with heraldic decoration from the 18th century.

To the time of Stephan Batory's death in 1568, the palace was a residence of the Polish kings, then a seat of starosts. From the time of the Swedish Deluge, when it was captured and robbed, a long period of abandonment and falling into disrepair began. After the First Partition of Poland, the Austrians meant it for barracks. It now houses – after a recent major overhaul – many cultural institutions.

Die erste Burg in Niepołomice ließ Mitte des 14. Jh. Kasimir der Grosse errichten. Ausgebaut wurde sie später unter Ladislaus Jagiello und Sigismund der Alte. Nach einer Feuersbrunst im Jahre 1550 begann man mit dem Bau eines Renaissance-Schlosses für den Fürsten Sigismund Augustus, der bis 1571 dauerte. Die Arbeiten leitete Meister Tomasz Grymala. So entstand schließlich ein Bauwerk, das an den Stil italienischer Paläste anknüpfte. Um den quadratischen Hof herum befinden sich aus einem Trakt bestehende Flügel, die ursprünglich zweistöckig waren, nach 1800 von den Österreichern jedoch auf ein Stockwerk reduziert wurden. Um das Jahr 1637 herum wurden an Stelle der hölzernen Kreuzgänge steinerne errichtet, die im ersten Stockwerk aus Säulen, im Erdgeschoss aus Pfeilern bestanden. In zwei Ecken des Hofes befinden sich weite offene Treppenaufgänge. An der Südachse liegt das Zufahrtstor mit einem Renaissance-Portal aus dem Jahr 1552 und einem mit Sims umgebenen Parapett, das Wappen aus dem 18. Jh. schmückt.

Bis zum Tode Stephan Batorys im Jahr 1586 diente der Palast als Residenz der polnischen Könige, später war er Sitz der Starosten. Nach den "schwedischen Einfällen", während der es eingenommen und geplündert wurde, begann ein lange andauernder Zeitraum der Vernachlässigung, sodass es schließlich zur Ruine verfiel. Nach der ersten Teilung Polens wurde das Schloss als österreichische Kaserne genutzt. Nach einer unlängst durchgeführten grundlegenden Renovierung ist es derzeit Sitz mehrerer Kultureinrichtungen.

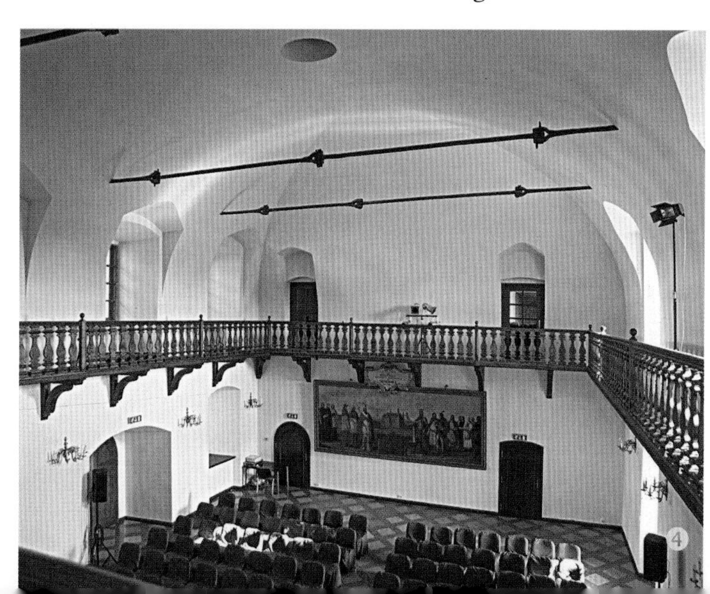

Kościół farny

The parish church ✦ Die Pfarrkirche

Nysa była od XIII do połowy XVIII wieku własnością biskupów wrocławskich. Wśród licznych przedniej klasy zabytków miasta najcenniejszym jest kościół farny św. Jakuba, zachowany w czystej formie gotyckiej, którą zawdzięcza XIX-wiecznej renowacji i odbudowie po zniszczeniach ostatniej wojny. Zbudowany w początkach XV wieku, na zrębach wcześniejszej bazyliki, prezentuje monumentalną halę z obejściem i wieńcem kaplic ❷ ❺ wokół prezbiterium. Bardzo smukła bryła świątyni nie posiada wieży. Masywna gotycka dzwonnica usytuowana została obok kościoła ❶ . Gęsto rozstawione oskarpowanie wiąże się z krzyżowo-żebrowymi sklepieniami, nakrywającymi niezwykle wysokie nawy ❹ . Bogato zdobiony jest portal wejściowy ❸ , a we wnętrzu znajdują się m.in. wysokiej klasy artystycznej rzeźbione nagrobki biskupów wrocławskich ❻ .

1

2

3

Starting from the13th century up to the middle of the 18th century, Nysa was owned by the bishops of Wrocław. Among numerous world-class heritage objects and buildings in the city, the most precious one is the parish church, preserved in its pure Gothic form, which it owes to the 19th century renovation and the reconstruction after the Second World War. Built at the beginning of the 15th century, on the remains of an earlier basilica, it has a monumental nave with an ambulatory and a ring of chapels around the presbytery ❷❺. The slender shape of the church doesn't have a tower. The massive Gothic bell-tower was situated close to the church ❶. Closely spaced, tall buttresses link with rib vaults covering extremely high nave and aisles ❹. The entrance portal ❸ is reachly decorated. Inside, there are – among other items – highly artistic sculptures on the tombs of Wrocław bishops ❻.

Neiße (Nysa) war vom 13. bis zur Hälfte des 18. Jh. im Besitz der Bischöfe von Breslau. Die Stadt besitzt viele wertvolle Baudenkmäler, unter anderem die Pfarrkirche, die dank der im 19. Jh. vorgenommenen Renovierung und dem Wieder-Aufbau nach dem letzten Krieg ihre reine gotische Form behielt. Sie wurde Anfang des 15. Jh. anstelle einer früheren Basilika als eine monumentale Hallenkirche mit einem Um-Gang und einem Kranz von Kapellen ❷❺ um das Presbyterium herum gebaut. Der schlanke Bau entbehrt einen Turm. Ein grosser gotischer Glockenturm steht frei neben der Kirche ❶. Über den überaus hohen Schiffen sehen wir Kreuzrippengewölbe ❹. Das Eingangsportal ist reich verziert, und im Inneren kann man u.a. reich geschmückte Grabdenkmäler der Bischöfe von Breslau von hohem künstlerischen Wert bewundern ❻.

Zespół klasztorny pocysterski

The post-Cistercian monastery complex

Der ehemalige Zisterzienserklosterkomplex

Cysterski klasztor w Obrze ufundował w 1231 roku kanonik gnieźnieński Sędziwój. Przybyli wkrótce po tym zakonnicy z Łekna stworzyli tutaj prężny ośrodek kultury i cywilizacji. Obecne budynki klasztoru wzniesiono na miejscu drewnianych w XVII wieku, kościół zaś w pierwszej połowie wieku XVIII. Zespół prezentuje architekturę barokową ❶ ❷ , na zewnątrz dość skromną, za to wewnątrz kościoła pyszniącą się bogactwem wystroju ❹ ❺ , głównie rokokowego ❸. Pokrywające sklepienia freski przedstawiają wydarzenia z dziejów zakonu cysterskiego. Po kasacie klasztoru w 1835 roku budowle przechodziły różne koleje losu, aż do roku 1926, kiedy przejęli je oblaci, zakładając w cysterskich murach swoje Wyższe Seminarium Duchowne.

1

The Cistercian monastery in Obra was founded in 1231 by Sędziwój, a Gniezno canon priest. The monks that soon afterwards arrived from Łekno created there a strong center of culture and civilization. Today's monastery was erected in the 17th century on the site of the former wooden buildings, and the church dates back to the first half of the 18th century. The complex is an example of baroque architecture ❶ ❷ , relatively modest on the outside, but inside the church one can admire the exquisite richness of interior decoration ❹ ❺ , mainly in the rococo style ❸ . The murals that cover the vaults show events from the history of the Cistercian order. Following the annulment of the monastery in 1835, the buildings went through va-rious turns of fate until 1926, when they were taken over by the order of Oblates, who founded their Theological Seminary in the old Cistercian buildings.

Das Zisterzienserkloster in Obra wurde im Jahre 1231 vom Gnesener Kanoniker Sędziwój gestiftet. Bald darauf kamen aus Łekno die Zisterziensermönche, die hier ein kulturelles und zivilisatorisches Zentrum schufen. Die heutige Klosteranlage wurde im 17. Jh. anstelle der hölzernen errichtet. Die Kirche stammt aus der ersten Hälfte des 18. Jh. Das Kloster wurde im barocken Stil ❶ ❷ erbaut. Von außen macht es einen ziemlich bescheidenen Eindruck, das Innere jedoch ist prächtig ❹ ❺ im Rokokostil ❸ ausgestattet. Das Decken-Gemälde stellt Szenen aus der Klostergeschichte dar. Nachdem das Kloster im Jahre 1835 geschlossen worden war, erging es der Anlage sehr unterschiedlich. Seit 1926 gehört sie den Oblatenpriestern, die in ihren Gemäuern ihr Höheres Priesterseminar gegründet haben.

2

3

4

5

Katedra

The cathedral ✦ Die Kathedrale

Obecna katedra ❶ jest dawnym kościołem opactwa cysterskiego, które istniało tutaj od 1276 do 1823 roku. Należy do największych założeń bazylikowych z transeptem w Polsce. Korpus nawowy świątyni pochodzi z przełomu XIII i XIV wieku, transept z XV wieku, natomiast portal ❺ z 1300 roku (z neoromańskim tympanonem). Nowożytne nawarstwienia w zewnętrznej architekturze katedry usunięto w końcu XIX wieku, w rezultacie prac regotyzacyjnych. Środkowe nawy korpusu i prezbiterium ujęte są z boków niskimi, wielobocznymi wieżyczkami, co nadaje architekturze znamię oryginalności. Sieciowo-kryształowe sklepienia ❷❸❹ pochodzą z połowy XVI wieku. W wyposażeniu wnętrza najcenniejsze są wspaniałe gotyckie stalle. Inne zabytki pochodzą z okresu renesansu i baroku. Budynki dawnego klasztoru, z XIII-XIV wieku, zostały przebudowane w XIX stuleciu.

❶

The cathedral ❶ used to be the church of the Cistercian abbey, which existed in this place from 1276 until 1823. It is one of the biggest churches in Poland built on the plan of a basilica with a transept. The nave trunk of the shrine dates back to the turn of the 13th century, the transept goes back to the 15th century while the portal ❺ – to the year 1300 (with the neo-Romanesque tympanon). The modern times' items accumulated in the external architecture of the cathedral were removed at the end of the 19th century as a result of work involving restoration of Gothic appearance. The middle naves of the church and the presbytery are closed by low polygonal small towers at the sides, which results in traits of originality of the architecture. The net-crystal vaults ❷❸❹ date back to the middle of the 16th century. Among the interior furnishings the Gothic stalls are the most valuable. The remaining monuments are from the Renaissance and the baroque periods. The 13th and 14th-century buildings of the former monastery were reconstructed in the 19th century.

Die heutige Kathedrale ❶ ist eine ehemalige Zisterzienserabtei, die hier von 1276 bis 1823 bestanden hat. Sie gehört zu den größten polnischen Basiliken mit Transept. Das Mittelschiff stammt aus der Wende vom 13. zum 14. Jh. und das Quer-Haus aus dem 15. Jh, dagegen das Portal mit einem neoromanischen Tympanon ❺ aus dem Jahre 1300. Die neuzeitlichen Einflüsse an der Außenarchitektur der Kathedrale beseitigte man Ende des 19. Jh., als man das Gotteshaus wieder in seiner gotischen Gestalt hergestellt hat. Das Mittelschiff und der Chor haben zu beiden Seiten niedrige mehreckige kleine Türme, was einen ziemlich originellen Eindruck macht. Die Netz-Kristall-Gewölbe ❷❸❹ entstanden um die Hälfte des 16. Jh. In der Ausstattung des Inneren sind die gotischen Chorgestühle am kostbarsten. Andere Kunstschätze stammen aus der Renaissance- und Barockzeit. Die ehemaligen Klostergebäude aus dem 13-14. Jh wurden im 19. Jh. umgebaut.

Zamek królewski

The royal castle ✦ Das Königsschloss

Gotycko-renesansowy zamek, posadowiony nad doliną Prądnika, wyrasta z urwistego cypla skalnego, jakby jego naturalna część ❶. Wzniesiony w XIV wieku przez Kazimierza Wielkiego, rozbudowany został w następnym stuleciu i ponownie w XVI-XVII wieku, kiedy stał się wspaniałą rezydencją renesansową z dziedzińcem arkadowym ❸, obszernym pięciobocznym dziedzińcem przedzamcza z umieszczoną w narożu basztą ❷ i nowożytnymi umocnieniami bastionowymi. Początkowo był to zamek królewski, później należał do Szafrańców i Zebrzydowskich. Zaniedbany od XIX wieku i podupadły, po ostatniej wojnie został poddany pieczołowitej konserwacji. Dziś mieści się tutaj oddział Państwowych Zbiorów Sztuki na Wawelu – muzeum wnętrz i historii zamku, zbiory sztuki europejskiej, biblioteka magnacka.

❶

The castle, a mix of the Gothic and Renaissance architecture, located over the Prądnik River valley, grows over a rocky precipice, as if it was a natural part of it ❶. Raised by King Casimir the Great, it was extended in the following century and then again in the 16th-17th centuries, when it became a splendid Renaissance residence, with arcade-surrounded courtyard ❸ vast pentagonal courtyard of the approaches of the castle with a towerat its corner ❷ and bastion fortifications considered modern at the time. It started as a royal castle, later it belonged to the families of Szafraniec and Zebrzydowski. In decline since the 19th century, it was painstakingly restored after the Second World War. Today it houses a department of the Wawel State Art Collection – a museum of interior design and the castle history, collection of European art, and the old lordly library.

2

Das im Stil der Gotik und der Renaissance erbaute Schloss in Pieskowa Skała erhebt sich auf einem Felsen über dem Prądnik-Tal und scheint ein natürlicher Teil von ihm zu sein ❶. Kazimierz III. Wielki ließ das Schloss im 14. Jh. errichten, im nächsten Jahrhundert wurde es ausgebaut, und im 16.-17.Jh. wurde es zu einer Renaissanceresidenz mit einem Arkadengang um den Innenhof ❸, mit einem weiten fünfeckigen Innenhof des Vorschlosses, der in der Ecke eine Bastei besitzt ❷, sowie auch mit neuzeitlichen bastionsartigen Befestigungen. Anfangs im Besitz der Krone, ging es in den Besitz der Familie Szafraniec und später Zebrzydowski über. Seit dem 19. Jh. heruntergekommen und verwahrlost, wurde es nach dem letzten Weltkrieg sorgfältig restauriert. Das Schloss dient heute als Außenabteilung der Staatlichen Kunstsammlungen des Wawels in Krakau mit folgenden Schwerpunkten: die Innenräume und die Geschichte des Museums, europäische Kunstsammlung, Magnatenbibliothek.

3

Katedra

The cathedral ✦ Die Kathedrale

Usytuowana malowniczo na skarpie wiślanej ❶, katedra w Płocku ma rodowód romański. Wzniesiona w czasach biskupa Aleksandra (ukończona w 1144 roku), wyróżniała się wśród innych katedr brakiem zachodnich wież. W latach 1531-1534 została przebudowana przez Giovanniego Cini i Bernardina Zanobi de Gianotis, otrzymując renesansową wieżę na skrzyżowaniu naw ❸. W czasie prac remontowych przeprowadzonych na początku XX wieku, przywrócono świątyni zatarte znamiona stylu romańskiego ❷❹. Wnętrze katedry zdobią liczne zabytki, m.in. gotyckie rzeźby oraz nagrobki biskupów i kanoników z okresu manieryzmu. Założone niedawno brązowe drzwi są kopią oryginalnych z 1154 roku, które od roku 1170 znajdują się w Nowogrodzie Wielkim.

❶

The cathedral in Płock, with its picturesque location over embankment by the Vistula River ❶, is of Romanesque origin. It was erected at the times of Bishop Aleksander (it was completed in 1144) and lack of towers on the western side was its specific feature in comparison with other cathedrals. In 1531-1534 it was reconstructed by Giovanni Cini and Bernardino Zanobi de Gianotis, who added Renaissance tower at the crossing of the naves ❸. During renovation carried out in the beginning of the 20th century the obliterated traits of the Romanesque style were restored ❷❹. Inside the cathedral there are numerous monuments, including Gothic sculptures and also monuments from the mannerism period on the tombs of bishops and canons. The recently mounted door is a replica of the original door from 1154, which have been in Nowogród Wielki since 1170.

3

2

Der romanische Bau der Kathedrale in Płock ❶ erhebt sich auf einem Hügel am Weichselufer. Sie wurde zu Zeiten Bischof Alexanders (den Bau endete man im Jahre 1144) errichtet. Ihr charakteristisches Zeichen war das Fehlen von Westtürmen. In den Jahren 1531-1534 wurde die Kathedrale von Giovanni Cini und Bernardo Zanobi de Gianotis umgebaut und bekam infolgedessen einen Renaissancevierungsturm ❸. Bei der Renovierung Anfang des 20. Jh. versuchte man die romanischen Formen der Kathedrale wieder zum Vorschein zu bringen ❷❹. Ihr Inneres schmücken zahlreiche Kunstschätze u.a. gotische Skulpturen sowie auch Grabmäler der Bischöfe und Kanoniker im Stil des Manierismus. Die vor kurzem eingebaute Bronzetür ist eine Kopie der originellen Tür aus dem Jahre 1154, die sich seit 1170 in Nowogród Wielki befindet.

4

Ostrów Tumski

Tum Islet ✦ Die Dominsel

Ostrów Tumski jest kolebką Poznania. Potężny gród istniał tutaj już na początku IX wieku, a w połowie następnego został jeszcze rozbudowany. Za pierwszych Piastów Poznań był obok Gniezna głównym ośrodkiem państwowym. Tutaj też powstało w 968 roku pierwsze polskie biskupstwo.

Do tamtych czasów odwołuje się ideowa treść Złotej Kaplicy ❹, zbudowanej w XV wieku, lecz w obecnej postaci urządzonej w latach 1834-1837 z fundacji i przy udziale Edwarda Raczyńskiego, według projektu Franciszka Marii Lanciego. Głównym akcentem patriotycznym i plastycznym wnętrza jest pomnik Mieszka I i Bolesława Chrobrego ❺, z brązowymi figurami obu władców, wykonanymi przez Christiana Raucha.

Pozostałości katedry przedromańskiej i romańskiej wyeksponowane są w podziemiach obecnej, gotyckiej, ukształtowanej w procesie wielokrotnych przebudów od XIII do XIV wieku ❶❷. W trakcie odbudowy po zniszczeniach ostatniej wojny usunięto narosłe formy z nowszych czasów, przywracając katedrze gotycką sylwetkę i kształt wnętrza ❸. Opodal katedry usytuowany jest kościół Najświętszej Marii Panny ❻ – najczystsza stylowo gotycka budowla Poznania, powstała w XV wieku.

❶

❷

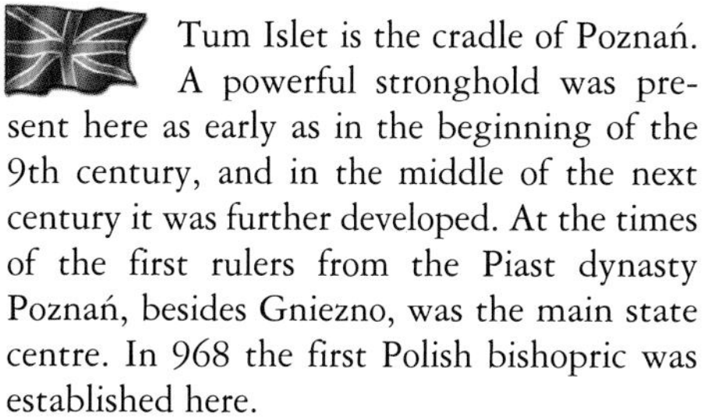

Tum Islet is the cradle of Poznań. A powerful stronghold was present here as early as in the beginning of the 9th century, and in the middle of the next century it was further developed. At the times of the first rulers from the Piast dynasty Poznań, besides Gniezno, was the main state centre. In 968 the first Polish bishopric was established here.

The ideas contained in the Golden Chapel ❹ refer to those times. The chapel was created in the 15th century, but its present appearance dates back to 1834-1837, the design is by Franciszek Maria Lanci, and the construction was founded by Edward Raczyński. The main patriotic and artistic emphasis in the interior is the Mieszko I and Boleslaus the Brave (Chrobry) ❺ monument, with bronze figures of both rulers created by Christian Rauch.

The remains of the pre-Romanesque and Romanesque cathedral are presented in the basement of the existing Gothic cathedral, which has been formed as a result of many reconstructions carried out in the 13th and 14th centuries ❶❷. During the reconstruction work carried out after the war destruction the accumulated elements from later times were removed and, as a result, the cathedral's Gothic profile and shape of interior have been restored ❸. Near the cathedral there is the Our Lady church ❻ constructed in the 15th century – the building which is most purely Gothic among all Gothic buildings in Poznań.

Die Dominsel ist die Wiege von Posen (Poznań). Eine mächtige Burg wurde hier bereits im 9. Jh. angelegt und um die Hälfte des nächsten Jahrhunderts ausgebaut. Unter der Herrschaft der ersten Piasten war Posen, neben Gniezno, Zentrum des Piastenstaates. Hier wurde auch im Jahre 968 das erste polnische Bistum gegründet. An diese Zeiten knüpft die Ausstattung der Goldenen Kapelle ❹, die im 15. Jh. entstanden ist, aber erst in den Jahren 1834-1837 in ihrer heutigen Gestalt eingerichtet wurde. Sie wurde nach einem Entwurf von Francesco Maria Lanci und dank der Stiftung von Edward Raczyński gebaut. Den patriotischen und künstlerischen Hauptakzent der Kapelle setzt das Denkmal von Mieszko I. und Bolesław Chrobry ❺ mit Bronzefiguren der beiden Herrscher, die von Christian Rauch gegossen wurden.

Die Reste des vorromanischen und romanischen Domes sind im Untergeschoss des jetzigen gotischen Domes zu sehen, der infolge mehrerer Umbauten von 13. bis zum 14. Jh. seine heutige Gestalt bekam ❶❷. Als der Dom nach den Zerstörungen des letzten Krieges wieder aufgebaut wurde, hat man ihn in seiner ursprünglichen gotischen Gestalt von innen und von außen errichtet ❸. Unweit des Domes befindet sich die Marien-Kirche ❻ – ein Bau im rein gotischen Stil vom 15. Jh.

Kościół farny

The parish church ✦ Die Pfarrkirche

Poznańska fara, wyróżniająca się niezwykle bogatą architekturą wnętrza, należy do najokazalszych świątyń barokowych w Polsce. Zbudowali ją jezuici, a konsekrowana została w 1705 roku. Projektantem był Bartłomiej Wąsowski-Nałęcz, rektor kolegium jezuickiego w Poznaniu. W dwadzieścia parę lat później Pompeo Ferrari wzbogacił architekturę kościoła monumentalnym portalem ❼ i wielkim ołtarzem głównym. Trójnawowe wnętrze bazyliki z transeptem zadziwia i urzeka niezwykłą wspaniałością wystroju. Artystyczna oprawa stanowi dzieło wybitnych mistrzów – rzeźbiarzy, sztukatorów i malarzy ❽. W bogato rzeźbionych ołtarzach, wkomponowanych w architekturę wnętrza, znajdują się obrazy autorstwa Szymona Czechowicza. Świątynia została kościołem parafialnym w roku 1780, po kasacie zakonu jezuitów.

7

8

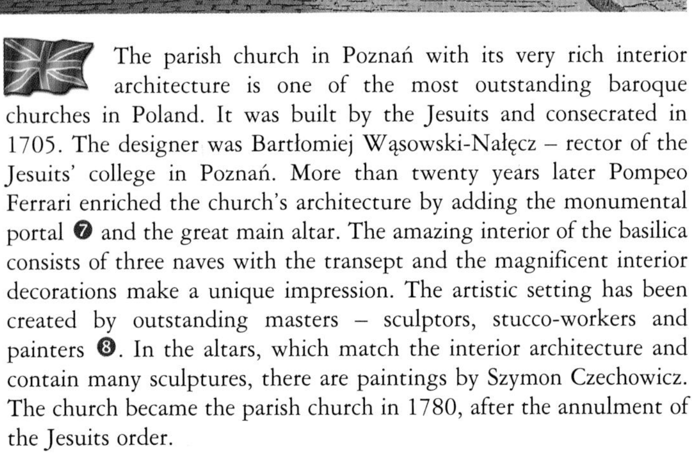

The parish church in Poznań with its very rich interior architecture is one of the most outstanding baroque churches in Poland. It was built by the Jesuits and consecrated in 1705. The designer was Bartłomiej Wąsowski-Nałęcz – rector of the Jesuits' college in Poznań. More than twenty years later Pompeo Ferrari enriched the church's architecture by adding the monumental portal ❼ and the great main altar. The amazing interior of the basilica consists of three naves with the transept and the magnificent interior decorations make a unique impression. The artistic setting has been created by outstanding masters – sculptors, stucco-workers and painters ❽. In the altars, which match the interior architecture and contain many sculptures, there are paintings by Szymon Czechowicz. The church became the parish church in 1780, after the annulment of the Jesuits order.

Die Pfarrkirche in Posen gehört zu den prächtigsten barocken Gotteshäusern in Polen. Bemerkenswert ist bei ihr vor allem die prunkvolle Innenarchitektur. Die Kirche wurde von den Jesuiten gebaut und 1705 geweiht. Ihr Entwurf stammt vom Rektor des Jesuitenkollegiums Bartłomiej Wąsowski-Nałęcz. Zwanzig Jahre später hat der italienische Meister Pompeo Ferrari die Kirche um ein monumentales Portal ❼ und einen großen Hauptaltar bereichert. Diese dreischiffige Basilika mit Transept bezaubert mit der Pracht ihrer Innenausstattung, die von hervorragenden Meistern – Bildhauern, Stuckateuren umd Malern – geschaffen wurde ❽. In den reichlich geschnitzten Altären, die mit der Innenausstattung wunderbar harmonieren, findet man die Bilder von Szymon Czechowicz. Nachdem das Jesuitenkloster geschlossen wurde, wurde das Gotteshaus 1780 zu einer Pfarrkirche.

Ratusz

The Town Hall ✦ Das Rathaus

Ratusz – pierwszy wśród świeckich zabytków Poznania – należy do najznakomitszych budowli renesansowych w Europie. Powstał na zrębach spalonego ratusza gotyckiego, wzniesiony w latach 1550-1560 przez włoskiego architekta Jana Quadro. Formując harmonijną w proporcjach sylwetkę ratusza ❾, Quadro najokazalej potraktował wschodnią elewację frontową. Zdobi ją trzykondygnacyjna loggia, wieża oraz wysoka attyka, ujęta z boków wieżyczkami. Zegar, ze słynnymi koziołkami ❿, powstał w 1551 roku. W dawnej, wielowiekowej siedzibie władz mieści się dziś Muzeum Historii Poznania z Salą Odrodzenia ◈▫ z 1555 roku i Salą Sądową z pomnikiem Stanisława Augusta Poniatowskiego ▫.

❾

❿

The Town Hall – premier heritage building among the non-religious monuments of Poznań – is the one of the most magnificent buildings in the Renaissance style in Europe. It was created on the foundations of the burnt-down Gothic town hall and was built in 1550-1560 by an Italian architect Jan Quadro. While creating the harmoniously proportionate structure of the Town Hall ❾, the eastern front elevation was particularly emphasised by Quadro. It is embellished with three-storey loggia, a tower and high attic with small towers at the sides. The clock with the famous goats ❿ was created in 1551. For many centuries the Town Hall used to be occupied by the town authorities. Now it houses the Poznań History Museum with the Renaissance Hall ◈▫ dates back to 1550 and the Court Hall with a statue of the King Stanislaus Augustus Poniatowski ▫.

Das Rathaus von Posen – die schönste unter den weltlichen Sehenswürdigkeiten der Stadt – ist wohl auch eines der herrlichsten Renaissancebauwerken in Europa. Ursprünglich im gotischen Stil erbaut, wurde es nach einem Brand von dem italienischen Baumeister Giovanni Quadro neu errichtet. Während der Architekt in den Jahren 1550-1560 am Bau des Rathauses arbeitete, hat er der Ostfassade besonderen Glanz verliehen ❾. Sie wird durch eine dreifache Arkadenreihe, einen Turm, und eine hohe Attika mit Türmchen verziert. Die berühmte Uhr mit Zicklein ❿ am Rathausturm ist im Jahre 1551 entstanden. Das frühere Verwaltungszentrum birgt heute das Museum der Geschichte von Posen , in dem der Renaissance-Saal ◈▫ aus dem Jahre 1550 und der Gerichtssaal mit dem Denkmal von Stanisław II. August Poniatowski besondere Beachtung verdienen ▫.

Miasto na lessowym wzgórzu

The town on a loessal hill ✦ Die Stadt auf einem Lösshügel

Położony nad Wisłą, na wysokiej krawędzi wysoczyzny, Sandomierz chlubi się bogatą historią, której świadectwem są liczne zabytki architektury. Powstał przy węźle dróg handlowych, najpierw jako gród (X wiek), potem ośrodek grodowo-miejski (XI wiek) i miasto lokowane w XIII wieku. Około roku 1360 Kazimierz Wielki wzniósł na miejscu grodu zamek ❹, obecnie zachowany fragmentarycznie, w postaci z przebudowy dokonanej w XVII i XIX wieku. Opodal zamku usytuowany jest halowy kościół kolegiacki ❸ z XIV wieku (od 1818 roku katedralny). Świątynia została przebudowana i wyposażona w baroku (1660-1682), a podczas renowacji w 1888 roku otrzymała nową, ceglaną okładzinę na elewacjach. Poza granicami obwarowanego centrum położony jest klasztor dominikanów z kościołem św. Jakuba ❶, późnoromański, z około połowy XIII wieku, przebudowany w XVII wieku; to jeden z najlepszych w Europie przykładów wczesnego budownictwa dominikańskiego. Ozdobą rynku jest studnia miejska ❻ i renesansowy ratusz ❷, powstały po roku 1550 na zrębach gotyckiego. W czasie gruntownej renowacji w 1873 roku zrekonstruowano część detali. Wśród innych zabytków Sandomierza na szczególną uwagę zasługują: późnorenesansowe jezuickie Collegium Gostomianum, ufundowany przez Jana Długosza dom dla mansjonarzy, zbudowany w 1476 roku (przebudowany w XVII wieku), w którym mieści się obecnie bardzo interesujące Muzeum Diecezjalne, oraz XIV-wieczna Brama Opatowska ❺, jedna z czterech bram tworzących kompleks murów obronnych.

❶

❷

Situated upon the Vistula River on the lofty edge of the highlands, Sandomierz boasts of the region´s rich history to which its many monuments of architecture testify. It came into existence at a junction of trade roads first as a fortified castle (in the 10th century), then as a fortified city centre (in the 11th century) and finally the wider city developed in the 13th century. Around 1360 Casimir the Great replaced the former fortified castle with a new one that remains preserved in fragments to this day ❹, bearing the shape given to it by reconstructions in the 17th and 19th centuries. Nearby the castle a hall collegiate church ❸ from the 14th century was located; since 1818 it has been a cathedral. The temple was rebuilt and adorned during the baroque period (1660-1682) and during the renovation in 1888 it was given a new brick facing on the elevation. Outside the fortified centre we find a Dominican cloister with the Church of St. James ❶, a late-Romanesque building from the middle of the 13th century, rebuilt in the 17th century. It is one of the best European examples of early Dominican architecture. The pride of the market square is a town well ❻ and the Renaissance Town Hall ❷ erected after 1550 in the framework of a former, Gothic one. During the general renovation in 1873 some of the details were reconstructed. Among the other monuments of Sandomierz there are some which deserve special attention: the late-Renaissance Jesuits' Collegium Gostomianum, a missionary house founded by Jan Długosz and erected in 1476 (rebuilt in the 17th century), which now hosts a very interesting Diocesan Museum. Finally there is Opatowska Gate ❺, one of the four gates forming the complex of the city walls.

An der Weichsel am Rande einer Hochebene gelegen, blickt Sandomierz stolz auf seine Geschichte zurück, von der zahlreiche Sehenswürdigkeiten zeugen. Sandomierz wurde im 10. Jh. am Knoten von Handelswegen gegründet. Im 11. Jh. bekam die Siedlung allmählich städtische Züge, um im 13. Jh. das Magdeburger Stadtrecht zu erhalten. Gegen 1360 wurde hier auf Initiative von Kazimierz Wielki eine Burg errichtet ❹, die heute nur in Fragmenten besteht. Die erhalten gebliebenen Teile stammen von Umbauten, die im 17. und 19. Jh. vorgenommen wurden. In der Nähe befindet sich auch eine Hallenkirche ❸ aus dem 14. Jh., die 1818 zum Dom ernannt wurde. Das Gotteshaus wurde in der Barockzeit umgebaut und ausgestattet (1660-1682), und während der Renovierungsarbeiten im Jahre 1888 bekam es an den Außenwänden eine neue Backsteinschicht. Außerhalb der ehemaligen Stadtmauer liegt das spätromanische Dominikanerkloster mit der St. Jakobus-Kirche ❶. Das Kloster wurde gegen Hälfte des 13. Jh. errichtet und im 17. Jh. umgebaut. Es ist eines der besten Beispiele der frühen Dominikaner-Architektur in Europa. Inmitten des Marktplatzes erhebt sich der Stadtbrunnen ❻ und das im Stil der Spätrenaissance gebaute Rathaus ❷ besonders sehenswert, das nach 1550 anstelle eines gotischen gebaut wurde. Während der Renovierungsarbeiten im Jahre 1873 wurde ein Teil seiner Details rekonstruiert. Unter den anderen Sehenswürdigkeiten von Sandomierz verdienen das Collegium Gastomianum-Jesuitenkolleg im Stil der Spätrenaissance, das Długosz-Haus für Hilfsgeistliche aus dem Jahre 1476 (im 17. Jh. umgebaut), heute das Diözesanmuseum, sowie auch Opatower Tor ❺ aus dem 14. Jh., eines von vier Toren der Stadtmauer, besondere Beachtung.

❸

❹

❺

❻

Kościół Najświętszej Marii Panny

The church of Our Lady ✦ Die Marienkirche

Gotycki kościół ❶ Najświętszej Marii Panny w Stargardzie, trójnawowy z obejściem, zbudowano na przełomie XIII i XIV wieku z fundacji księcia Bogusława IV. Pod koniec XIV wieku Henryk Brunsberg przebudował część prezbiterialną ❹❺ i dostawił kaplicę Mariacką. Elewacje tych członów ozdobił bogatą dekoracją z kolorowej glazurowanej cegły, tworząc fantazyjne, ażurowe koronki, złożone z wimpergów, maswerków i sterczyn. Równie finezyjny jest portal wejściowy ❸. Pod koniec średniowiecza podwyższono nawę główną, formując układ bazylikowy z tryforyjną galeryjką poniżej górnych okien ❷. W bryle świątyni dominantę stanowi, zdobiona rytmem płycin, piękna w proporcjach wieża.

❶

The church of Our Lady ❶ in Stargard was founded by Duke Bogusław IV and was constructed in the Gothic style at the turn of the 13th century as a three-nave structure with ambulatory. At the end of the 14th century Henryk Brunsberg reconstructed the presbytery part ❹❺ and added St Mary's chapel. He decorated these parts with rich coloured glazed brick decorations, creating fanciful open-work ornaments, consisting of canopies, traceries and pinnacles. The entrance portal ❸ is equally subtle. At the end of the Middle Ages the nave was raised, forming a basilica-like layout with a triforium gallery below the top windows ❷. The structure of the shrine is dominated by its beautiful proportionate tower, decorated with panels.

Die dreischiffige gotische Pfarrkirche St. Marien ❶ in Stargard wurde um die Wende vom 13. zum 14. Jh. durch die Stiftung des Fürsten Bogusław IV. errichtet. Ende des 14. Jh. baute der Baumeister Heinrich Brunsberg das Presbyterium ❹❺ um und die Marienkapelle dazu. Die Außenwände dieser zwei Bauten schmückte er reichlich mit einer Dekoration aus bunt glasiertem Backstein, aus dem er phantasievolle durchsichtige Spitzen aus Wimpergen, Maß-Werken und Pinakeln schuf. Das Eingangsportal ❸ wurde ebenso reich verziert. Ende des Mittelalters stockte man das Hauptschiff auf, indem man eine kleine Galerie mit Triforium unter den oberen Fenstern baute ❷. In der Architektur der Kirche dominiert ein sehr ebenmäßiger Turm, der eine schöne Blendengliederung trägt.

2

3

4

35
5

Kościół pojoannicki

The former church of the Knights of St John of Jerusalem

Die ehemalige Johanniterkirche

Kościół farny w Strzegomiu ma starą metrykę, lecz w obecnej postaci ukształtowany został w XIV i XV wieku. Należy do najwspanialszych budowli gotyckich na Śląsku. Jest trójnawową bazyliką z transeptem ❶. Z dwu zaplanowanych wież, w całości zrealizowano tylko północną. Wraz z nadzwyczajnej smukłości szczytem zachodnim tworzy ona zwarty, dominujący akcent w bryle świątyni. Wśród parafialnych kościołów miejskich strzegomski wyróżnia się szczególnie bogato rzeźbionymi gotyckimi portalami ❷❸❹. Ozdobą wnętrza jest ambona ❺ oraz sklepienia – krzyżowe, gwiaździste i sieciowe, na rzeźbionych w kamieniu wspornikach w postaci proroków oraz panien mądrych i głupich. W kościele znajduje się szereg XVI- i XVII-wiecznych nagrobków i epitafiów rycerskich ❻❼.

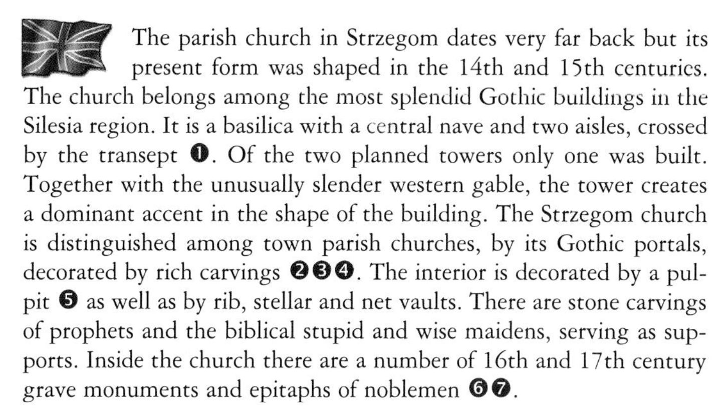

The parish church in Strzegom dates very far back but its present form was shaped in the 14th and 15th centuries. The church belongs among the most splendid Gothic buildings in the Silesia region. It is a basilica with a central nave and two aisles, crossed by the transept ❶. Of the two planned towers only one was built. Together with the unusually slender western gable, the tower creates a dominant accent in the shape of the building. The Strzegom church is distinguished among town parish churches, by its Gothic portals, decorated by rich carvings ❷❸❹. The interior is decorated by a pulpit ❺ as well as by rib, stellar and net vaults. There are stone carvings of prophets and the biblical stupid and wise maidens, serving as supports. Inside the church there are a number of 16th and 17th century grave monuments and epitaphs of noblemen ❻❼.

Die Pfarrkirche in Striegau (Strzegom) ist sehr alt, ihre heutige Gestalt stammt jedoch aus dem 14.-15. Jh. und gehört zu den prächtigsten gotischen Bauten in Schlesien. Sie ist eine dreischiffige Basilika mit Transept ❶. Von den zwei geplanten Türmen wurde nur der nördliche vollendet, der die Architektur des Gotteshauses beherrscht. Unter Gemeindekirchen in Striegau zeichnet sie sich durch das reich geschmückte gotische Portal aus ❷❸❹. Das Innere zieren die Kanzel ❺ sowie Kreuz-, Stern-, und Netzgewölbe. Die gewölbestützenden Pfeiler sind durch Darstellungen der Propheten sowie der klugen und törichten Jungfrauen geschmückt. In der Kirche findet man auch viele Grabmäler aus dem 16.-18. Jh. wie auch Epitaphien für verstorbene Ritter ❻❼.

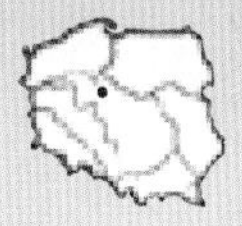

Opactwo norbertanek i rotunda

The Norbertine nuns abbey and the Rotunda

Die Prämonstratenserinnen-Abtei und die Rotunde

Jet to jedna z najstarszych miejscowości w Polsce. Na wzgórzu św. Wojciecha, domniemanym sanktuarium pogańskim, stoją dwa romańskie kościoły. Legenda wiąże to miejsce z misją na Wschód świętego Wojciecha. Rotundę św. Prokopa ❻ wzniesiono po 1160 roku, a górna ceglana część pochodzi z rozbudowy na przełomie XV i XVI wieku. Rotunda ma oryginalne sklepienie, dwie absydy ❺ i prostokątne prezbiterium. Dawny kościół opacki św. Trójcy (wcześniej norbertanek), zbudowany został po 1175 roku, pierwotnie kamienny, nie otynkowany, trzynawowy, typu bazylikowego z dwiema wieżami ❷. Podczas barokizowania świątyni w XVIII wieku obmurowano cztery romańskie kolumny z płaskorzeźbioną figuralną dekoracją, odsłonięte w 1946 roku ❶❸. Równie interesujące są płaskorzeźby dwóch romańskich tympanonów ❹.

One of the oldest places in Poland. On the hill of St. Adalbert, a place believed to be a pagan sanctuary, stand two Roman churches. The legend binds this locality with a mission to the East of St. Adalbert. The rotunda of St. Prokop ❻ was raised after 1160, and the upper, brick part comes from the rebuilding work from the turn of the 15th century. The rotunda has an original vault, two apses ❺ and a rectangular presbytary. The former abbatial church of St. Trinity was built after 1175, originally of stone, it was unplastered, having a three-nave, basilica form with two towers ❷. During the baroque constructions, the sanctuary was walled in by four Roman columns with a figural bas-relief in the 18th century, which was uncovered in 1946 ❶❸. Low-reliefs of the two Roman tympanums are interesting as well ❹.

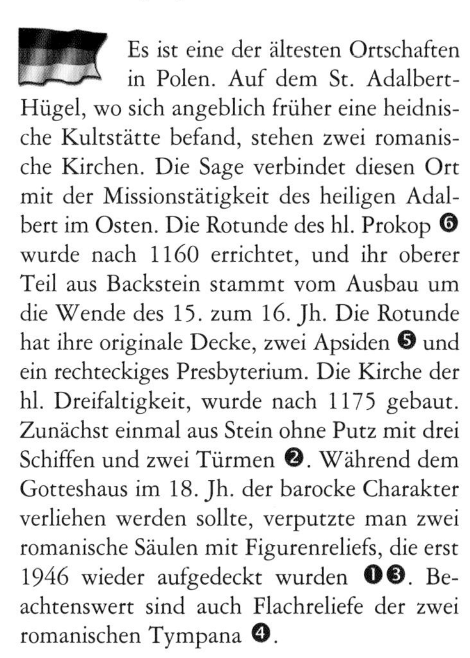

Es ist eine der ältesten Ortschaften in Polen. Auf dem St. Adalbert-Hügel, wo sich angeblich früher eine heidnische Kultstätte befand, stehen zwei romanische Kirchen. Die Sage verbindet diesen Ort mit der Missionstätigkeit des heiligen Adalbert im Osten. Die Rotunde des hl. Prokop ❻ wurde nach 1160 errichtet, und ihr oberer Teil aus Backstein stammt vom Ausbau um die Wende des 15. zum 16. Jh. Die Rotunde hat ihre originale Decke, zwei Apsiden ❺ und ein rechteckiges Presbyterium. Die Kirche der hl. Dreifaltigkeit, wurde nach 1175 gebaut. Zunächst einmal aus Stein ohne Putz mit drei Schiffen und zwei Türmen ❷. Während dem Gotteshaus im 18. Jh. der barocke Charakter verliehen werden sollte, verputzte man zwei romanische Säulen mit Figurenreliefs, die erst 1946 wieder aufgedeckt wurden ❶❸. Beachtenswert sind auch Flachreliefe der zwei romanischen Tympana ❹.

Opactwo cystersów

The Cistersian abbey ✦ Die Zisterzienserabtei

Warowne opactwo cystersów w Sulejowie ❶ ufundował w drugiej połowie XII wieku Kazimierz Sprawiedliwy. Kościół, na zewnątrz w oprawie barokowej ❹❺, we wnętrzu zachował architekturę romańską, ustrojoną w barokowe wyposażenie. W fasadzie zachodniej znajduje się późnoromański portal z około 1230 roku, a nad północnym wejściem – tympanon z końca XII wieku. Z klasztoru ocalało skrzydło wschodnie, a w nim późnoromański kapitularz ze sklepieniem wspartym na ustawionej pośrodku kolumnie ❷ oraz XV-wieczny krużganek wirydarza ❸. Zespół otoczony jest późnogotyckimi obwarowaniami. Zachowały się też, rzadko spotykane, gotyckie budynki gospodarcze. Obecnie mieści się w nich ośrodek wypoczynkowy i niewielkie muzeum.

❶

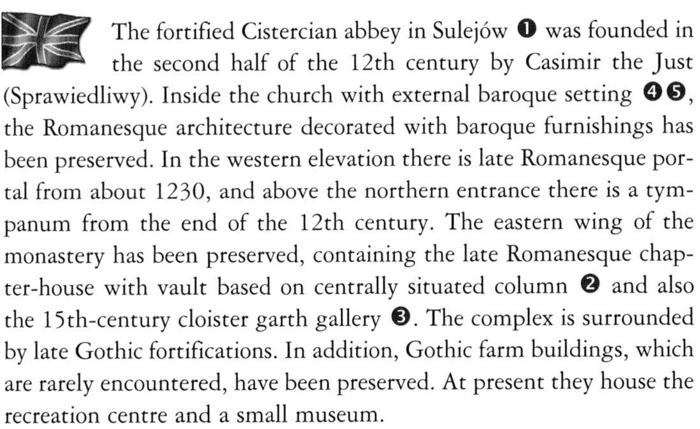

The fortified Cistercian abbey in Sulejów ❶ was founded in the second half of the 12th century by Casimir the Just (Sprawiedliwy). Inside the church with external baroque setting ❹❺, the Romanesque architecture decorated with baroque furnishings has been preserved. In the western elevation there is late Romanesque portal from about 1230, and above the northern entrance there is a tympanum from the end of the 12th century. The eastern wing of the monastery has been preserved, containing the late Romanesque chapter-house with vault based on centrally situated column ❷ and also the 15th-century cloister garth gallery ❸. The complex is surrounded by late Gothic fortifications. In addition, Gothic farm buildings, which are rarely encountered, have been preserved. At present they house the recreation centre and a small museum.

Die Zisterzienserabtei in Sulejów ❶ wurde in der zweiten Hälfte des 12. Jh. von König Kazimierz II. Sprawiedliwy gestiftet. Die von außen barocke Klosterkirche hat ❹❺ von innen ihre romanische Architektur behalten, die Ausstattung trägt jedoch barocke Züge. In der Westfassade kann man ein schönes spätromanisches Portal von etwa 1230 bewundern und über dem Eingang zum nördlichen Seitenschiff ist in die Fassade ein Tympanon vom Ende des 12. Jh. eingelassen. Vom Klostergebäude ist der Ostflügel erhalten geblieben, in dem sich ein spätromanischer Kapitelsaal befindet, dessen Gewölbe auf einer Säule ❷ inmitten des Raumes ruht, sowie auch der Kreuzgang des Klostergartens ❸ aus dem 15. Jh. Die Abtei ist mit spätgotischen Wehrmauern umgeben. Erhalten geblieben sind auch gotische Wirtschaftsgebäude des Klosters, was eher selten der Fall ist. Heute bergen sie ein Hotel und ein kleines Museum.

Miasto na kamieniu

The town on a rock ✦ Die Stadt auf dem Stein

Późnogotycki kamienny kościół wzniesiony został w latach 1493-1509. Jego niemal kwadratowa nawa nakryta jest strzelistym dachem ujętym w wysokie ceglane szczyty. Od zachodu dostawiono kopułową kruchtę ❷. We wnętrzu znajdują się cenne dzieła sztuki. Pośrodku rynku stoi późnorenesansowy ratusz ❸ (1602-1605), piętrowy, prostokątny, z kolistymi, smukłymi, pełnymi wieżyczkami narożnymi oraz z czteroboczną wieżą zegarową od frontu. Górne kondygnacje są ośmioboczne, z renesansowym hełmem. Przed frontem ratusza usytuowany jest pręgierz miejski z pierwszej połowy XVII wieku. Godny uwagi jest także zamek gotycko-renesansowy o dwóch dwupiętrowych skrzydłach, obejmujących dziedziniec zamknięty z dwóch pozostałych stron murem z wysuniętą wieżą bramną. Z tego czasu zachowały się dwa portale wczesnorenesansowe. Wzdłuż muru wschodniego dodano piętrową loggię kolumnową ze schodami i wieloboczne wieżyczki z tarasami ❶. W zamku mieści się Muzeum Ludowych Instrumentów Muzycznych.

Na rozległym cmentarzu żydowskim znajduje się 3100 rzeźbionych macew ❹.

❶

The late-Gothic stone church was erected in the years 1493-1509. It has an almost-square nave, covered with a high-pitched roof bound into the brick spires. The copula choir was built from the west side ❷. There are valuable works inside. In the middle of the square stands the late-Renaissance Town Hall ❸ (1602-1605), two-storeyed, rectangular, with round, narrow, full corner towers, and with a four-sided clock-work tower from the front. The upper floors are eight-sided, with a Renaissance cupola. A municipal pillory is situated before the front of the Town Hall, from the first half of the 17th century. It is a Gothic-Renaissance palace with two-storey wings encompassing the court, closed from the two other sides by a wall with a protuberant tower gate. Two early-Renaissance portals are preserved from the period. A floor column loggia was added to the east wall with a staircase and multi-sided towers with terraces ❶. A museum of folk instruments is housed in the castle.

In the large Jewish cemetery, 3100 carved sepulchral stone slabs can be found ❹.

Die spätgotische Kirche in Szydłowiec wurde in den Jahren 1493-1509 erbaut. Ihr beinahe quadratisches Schiff bedeckt ein hohes Dach, gekrönt mit Backsteingiebeln. An der westlichen Seite baute man eine Vorhalle mit Kuppel, in der sich wertvolle Kunstschätze befinden ❷. Inmitten des Marktplatzes erhebt sich das im Stil der Spätrenaissance gebaute Rathaus ❸ (1602-1605). Es hat mehrere Stockwerke, schlanke, runde Ecktürme und einen viereckigen Uhrturm an der Vorderseite. Die oberen Stockwerke sind oktagonal. Sie werden mit einem Turmdach gekrönt. Vor dem Rathausgebäude steht ein Pranger aus der ersten Hälfte des 17. Jh. Erwähnenswert ist auch ein im Stil der Gotik und der Renaissance erbautes Schloss mit zwei Flügeln. Seinen Innenhof schließt von den zwei anderen Seiten die Mauer mit einem vorgebauten Turm über dem Eingangstor.

Aus dieser Zeit blieben zwei Portale im Stil der Frührenaissance erhalten. Entlang der östlichen Mauer baute man eine aufgestockte Säulenloggia mit einer Treppe und mehreckige kleine Türme mit Terassen ❶. Im Schloss findet das Volksmusikinstrumenten-Museum seinen Sitz. Auf dem weiten jüdischen Friedhof befinden sich 3100 verzierte Grabsteine ❹.

Pałac-muzeum

The palace-museum ✦ Der Palast-museum

Śmiełów, wzmiankowany w 1392 roku jako dobra żerkowskie, nabył Antoni Gorzeński, dla którego wybitny architekt wojskowy, Stanisław Zawadzki postawił tu w 1797 roku pałac klasycystyczny o założeniu palladiańskim ❶. Korpus piętrowy posiada monumentalny portyk joński ❷ od frontu oraz trójboczny ryzalit od ogrodu krajobrazowego. Pałac połączony jest arkadowymi galeriami ❻ z oficynami o łamanych dachach. We wnętrzach prace sztukatorskie wykonał Michał Ceptowski ❺, a ściany ozdobili malowidłami bracia Smuglewiczowie ❼❽. W 1945 roku pałac został splądrowany i ograbiony. Po pięcioletnim remoncie w 1975 roku Muzeum Narodowe w Poznaniu otworzyło w nim swój oddział, eksponując m.in. wiele pamiątek poświęconych Adamowi Mickiewiczowi. Na piętrze prezentowane są wnętrza pałacowe z przykładami malarstwa holenderskiego, francuskiego, niemieckiego i włoskiego od XVII do XIX wieku ❸❹.

❶

Śmiełów, mentioned in 1392, was obtained by Antoni Gorzeński as a property of Żerków, for whom a prominent military architect, Stanisław Zawadzki, built here in 1797 a classical palace with a Palladian structure ❶. The floor corpus has a monumental Ionic collonade from the front ❷, and a three-sided bay from the landscaped garden. The palace is linked by arc galleries ❻ with wings of a folded slab roof. The stuccowork inside ❺ was carried out by Michal Ceptowski, and the walls were ornamented by paintings of the Smuglewicz brothers ❼❽. In 1945 the palace was destroyed and plundered. After a five-year reconstruction, the National Museum in Poznań opened its department, displaying many sights devoted to Adam Mickiewicz. On the first floor palace interiors are presented, with the examples of Dutch, French, German and Italian paintings of 17th to 19th centuries ❸❹.

Das Gut Śmiełów, zum ersten Mal im Jahre 1392 erwähnt, kaufte Antoni Gorzeński und ließ 1797 den hervorragenden Militär-Architekten, Stanisław Zawadzki, einen klassizistischen Palast bauen ❶. Das Bauwerk besitzt vorne einen ionischen Säulengang ❷ und einen dreieckigen Risalit von der Seite des Landschaftsgartens. Der Palast wird mit seinen Hinterhäusern, die mit Giebeldächern im Krakauer Stil bedeckt werden, durch Viertelkreis-Arkaden-Gänge ❻ verbunden. Die Stuckarbeiten ❺ im Inneren des Palastes stammen von Michał Ceptowski, und die Wandmalereien von Gebrüder Smuglewicz ❼❽. Im Jahre 1945 wurde die Residenz geplündert und beraubt. Nach einer fünf Jahre langen Renovierung eröffnete man hier eine Abteilung des Nationalmuseums von Posen, in der man viele Andenken an Adam Mickiwicz ausgestellt hat. Im ersten Stock kann man die Innen-Räume des Palastes mit niederländischen, französischen, deutschen und italienischen Gemälden aus dem Zeitraum vom 17. bis zum 19. Jh. bewundern ❸❹.

Dawne opactwo benedyktynów

The former Benedictine abbey ✦ Die ehemalige Benediktinerabtei

Opactwo benedyktynów na Łysej Górze ❶ powstało w pierwszej połowie XII wieku z fundacji Bolesława Krzywoustego. Na przestrzeni wieków klasztor doświadczał różnych klęsk, po których następowały przebudowy. Kościół, zawierający relikty murów romańskich, w obecnej postaci ukształtowany został w końcu XVIII wieku, w stylu późnobarokowym. Charakter wnętrza określa barokowa polichromia ❹ oraz barokowe i klasycystyczne ołtarze ❷❸. Architektura klasztoru prezentuje formy z przebudowy późnogotyckiej ❺ i ponownej, przeprowadzonej w wieku XVII.

❶

The Benedictine abbey in Łysa Góra ❶ was established in the first half of the 12th century and founded by Bolesław Krzywousty. Throughout the centuries the monastery experienced many disasters, which were followed by periods of reconstruction. The present appearance of the church, which contains remains of Romanesque walls, was shaped at the end of the 18th century in late baroque style. The baroque murals ❹ and also baroque and classicistic altars ❷❸ determine the character of the church's interior. In the monastery's architecture there are forms from the late Gothic style reconstruction ❺ and from another one, which was carried out in the 17th century.

Die von König Bolesław III. Krzywousty gestiftete Benediktinerabtei auf dem Kahlen Berg (Łysa Góra) ❶ enstand in der ersten Hälfte des 12. Jh. Im Laufe der Jahrhunderte wurde die Klosteranlage mehrmals zerstört und infolgedessen umgebaut. Die Klosterkirche, in der man noch romanische Mauerreste entdecken kann, wurde in seiner heutigen späbarocken Gestalt Ende des 18. Jh. errichtet. Im Inneren sind die barocke Wandmalerei ❹ sowie auch die barocken und klassizistischen Altäre ❷❸ besonders sehenswert. Dem Klostergebäude sind eine spätgotische ❺ Umgestaltung und eine aus dem 17. Jh. anzusehen.

1

Rynek

The market square ✦ Der Marktplatz

Wśród wielu znakomitych zabytków Tarnowa uwagę zwraca zabudowany pięknymi kamienicami z podcieniami ❷❸ rynek z usytuowanym pośrodku renesansowym ratuszem ❶. Wzniesiony w drugiej połowie XVI wieku, charakteryzuje się doskonale zharmonizowaną w proporcjach bryłą. Trzecią część wysokości ścian zajmuje ceglana attyka, zdobiona w zwieńczeniu rzeźbionymi w kamieniu maszkaronami.We wnętrzu ratusza eksponowany jest bo-gaty zbiór portretów sarmackich z XVII i XVIII wieku ❹.

Tarnowska katedra z około 1400 roku, przebudowana w końcu XIX wieku, we wnętrzu zawiera znakomite dzieła sztuki z różnych epok. Wiele świetnych zabytków z czasów średniowiecznych znajduje się w zbiorach Muzeum Diecezjalnego.

Among many outstanding heritage buildings in Tarnów, one's attention is drawn to the market square surrounded with splendid town houses ❷❸ and with a centrally located Renaissance Town Hall ❶. Built in the second half of the 16th century, it is characterized by it's exquisite proportions. One third of the walls' height is taken by a brick attic decorated at the top by stone-carved masks. A rich collection of Sarmatian portrets is exhibited inside ❹.

The Tarnów cathedral, which dates back to around 1400, was rebuilt at the end of the 19th century and holds inside many artistic objects from various periods. Many splendid medieval objects are in the collection of the Diocesan Museum.

Unter zahlreichen ausgezeichneten Architekturdenkmälern von Tarnów verdient der Marktplatz mit schönen Bürger-Häusern ❷❸ und dem in der Mitte platzierten Renaissance-Rathaus ❶ besondere Beachtung. Das Rathaus wurde in der zweiten Hälfte des 16. Jh. errichtet. Seine Architektur macht einen sehr harmonischen Eindruck. Bis zu einem Drittel ihrer Höhe sind seine Wände mit einem Backsteinfries bedeckt. Darüber kann man einen Kamm mit eingehauenen Maskarons bewundern. Im Inneren des Rathauses wird eine reiche Poträtsammlung der polnischen Adligen ❹ aus dem 17. und 18. Jh. ausgestellt. Die Kathedrale in Tarnów, ursprünglich aus der Zeit um 1400, wurde Ende des 19. Jh. umgebaut. Sie birgt in ihrem Inneren beeindruckende Kunstschätze aus verschiedenen Epochen. Zahlreiche wertvolle mittelalterliche Kunstobjekte gehören zu den Sammlungen des Diözesanmuseums.

Stare miasto

The Old Town ✦ Die Altstadt

Staromiejska dzielnica Torunia stanowi wyśmienity kompleks architektoniczny, pełen zabytków, z których wiele pochodzi z okresu gotyku. W panoramie miasta ❶ dominuje potężna bryła kościoła św. Jana ❺ z XIII-XIV wieku. Inne gotyckie kościoły – Najświętszej Marii Panny i św. Jakuba ❽ – mają metrykę XIV-wieczną. Środek starego rynku wypełnia wielki budynek gotyckiego ratusza ❻ z końca XIV wieku, czteroskrzydłowego z wewnętrznym dziedzińcem. Przed nim stoi pomnik Mikołaja Kopernika ❼. Ratusz należy do nielicznych w Europie zachowanych w czystym stylu gotyckim. Rynek otaczają zabytkowe kamienice, wśród nich barokowa „Kamienica pod gwiazdą" ❾. Przetrwały też w Toruniu znaczne fragmenty średniowiecznych obwarowań z bramami ❷❹ i basztami, m.in. „Krzywą Wieżą" ❸. Zachował się gotycki dom, w którym urodził się Kopernik.

Toruń został wpisany na Listę Światowego Dziedzictwa Kulturalnego i Przyrodniczego UNESCO.

2

3

4

1

5

6

7

8

The Old Town district of Toruń is a magnificent architectural complex, with plenty of heritage buildings, including many in the Gothic style. The panorama of the town ❶ is dominated by the huge bulk of St John's church ❺, which dates back to the 13th and 14th centuries. Other Gothic churches – the Our Lady's church and St James' church ❽ date from the 14th century. In the middle of the old market square there is the large Gothic Town Hall ❻, which dates back to the end of the 14th century, with its four wings and the internal courtyard. It is one of the few Gothic town halls in Europe, in which the purity of style has been retained. Before the Town Hall there is a monument of Mikołaj Kopernik ❼. The market square is surrounded with old tenement-houses, among them there is one, in baroque style, called „Under the star" ❾. Significant parts of medieval entrenchments with gates ❷❹ and towers, for example the „Leaning Tower" ❸ have been preserved in Toruń. The Gothic building, where Mikołaj Kopernik was born, has also been preserved.

Toruń has been put on the UNESCO's list of World Cultural and Environmental Heritage.

Die Altstadt von Thorn (Toruń) bildet einen herrlichen architektonischen Komplex, voll von Baudenkmälern u.a. aus der Gotikzeit. Das Stadtbild ❶ beherrscht die gewaltige Pfarrkirche St. Johannes ❺ aus dem 13.-14. Jh. Andere gotische Kirchen, die Kirche der hl. Jungfrau Maria und St. Jakob-Kirche ❽ stammen aus dem 14. Jh. In der Mitte des alten Marktplatzes steht das große gotische Rathausgebäude ❻ vom Ende des 14. Jh. mit einem viereckigen Innenhof. Vor dem Rathaus steht ein Denkmal zu Ekren Nikolaus Kopernikus' ❼. Es gehört zu den wenigen Rathäusern in Europa, die im rein gotischen Stil erhalten geblieben sind. Am Marktplatz sind viele interessante Patrizierhäuser zu finden, u.a. das barocke „Partizierhaus zum Stern" ❾. Nicht verloren gegangen sind auch große Fragmente der mittelalterlichen Befestigung mit Türmen und Basteien ❷❹, u. a. der sog. Schiefe Turm ❸. Es hat sich auch das gotische Haus erhalten geblieben, in dem Nikolaus Kopernikus zur Welt gekommen ist.

Thorn sind in die Liste des Weltkulturerbes der UNESCO eingetragen.

❾

Kościół i opactwo pocysterskie

The former Cistercian church and abbey

Die ehemalige Zisterzienserkirche und Abtei

Wzniesiony na początku XIII wieku, romański kościół klasztorny ❶ jest pierwszą w Polsce świątynią zbudowaną z cegły, a związana z nim kaplica św. Jadwigi z 1267 roku – pierwszą na gruncie polskim budowlą czysto gotycką. Klasztor cystersek, z bogato rzeźbionym portalem ❷, ufundował w 1202 roku książę Henryk Brodaty. W wyniku przebudowy zapoczątkowanej w 1679 roku przez ksienię klasztoru Krystynę Popławską, wnętrza kościoła i klasztoru otrzymały wygląd barokowy ❸. Ona też ufundowała, ustawiony pośrodku gotyckiej kaplicy, odznaczający się wspaniałą oprawą plastyczną nagrobek św. Jadwigi ❹, żony Henryka Brodatego. Do kościoła prowadzą dwa znakomicie rzeźbione portale, należące do najcenniejszych dzieł romańskich środkowej Europy.

❶

Built at the beginning of the 13th century, the Romanesque monastery church ❶ is the first brick church in Poland, and the St. Jadwiga Chapel linked with the church, built in 1267, is the first unmistakably Gothic structure in Poland. The monastery of Cistercian nuns, with a richly decorated portal ❷, was founded in 1202 by the Duke Henryk Brodaty. Following the rebuilding of the monastery, initiated in 1679 by the abbess Krystyna Popławska, the interiors of the church and the monastery received a baroque look ❸. She also founded the mausoleum of St. Jadwiga ❹, the wife of Henryk Brodaty, placed in the center of a Gothic chapel and beautifully crafted. To enter the church one goes through two exquisitely carved portals both of which belong to the most valuable examples of the Romanesque art of Central Europe.

3

2

Die Anfang des 13. Jh. errichtete romanische Klosterkirche ❶ ist der erste repräsentative Backsteinbau dieser Art, und ihre Hedwigskapelle aus dem Jahre 1267 ist der erste rein gotische Bau auf polnischem Boden. Das Zisterzienserfrauen-Kloster mit einem reich verzierten Portal ❷ stiftete 1202 Herzog Henryk Brodaty. Der 1679 von der Äbtissin Krystyna Popławska veranlaßte Klosterumbau hat den Innenräumen des Stiftes und der Kirche barocken Charakter verliehen ❸. Die Äbtissin stiftete auch das Grabmal der hl. Hedwig ❹, das in der Mitte der Hedwigskapelle platziert wurde. In die Kirche hinein führen zwei reichlich geschnitzte Portale, die zu den wertvollsten Werken romanischer Kunst Mitteleuropas gehören.

4

Dwór-muzeum

The mannor house-museum ✦ Das Herrenhaus-museum

W tej niewielkiej wsi na ziemi sieradzkiej znajduje się jeden z najciekawszych w Polsce późnobarokowych dworów zbudowany w 1796 roku; piętrowy, nakryty wysokim łamanym dachem z szerokim okapem ❷. Został gruntownie odrestaurowany w latach 1973-84. W elewacji frontowej znajduje się dwukolumnowy portyk toskański z balkonem pierwszego piętra. Na parterze dworu mieściła się kuchnia, pomieszczenia służby oraz pokój gościnny ❻. Piętro o charakterze reprezentacyjnym ❶ w trakcie frontowym mieści pokój balkonowy i salony dekorowane sztukateriami o motywach roślinnych. Od strony ogrodu znajduje się pokój kredensowy, sypialnia i biblioteka. Z prawej strony dworu w 1860 roku posadowiona została oficyna późnoklasycystyczna w stylu polskiego dworku z portykiem kolumnowym. Całość otoczona jest malowniczym parkiem krajobrazowym z XVIII wieku. Obecnie mieści się tu Muzeum Wnętrz Dworskich z bogatą kolekcją portretów, mebli, porcelany, sreber kryształów i zegarów ❸❹❺.

In that small village, in the district of Sieradz, one of the most interesting late baroque mansions in Poland can be found. It was raised in 1796, as one-storeyed building with a folded slab roof with wide eaves ❷. It was thoroughly reconstructed in the years 1973-84. In the front rise an Ionic collonade is situated with a first floor balcony. On the ground floor, there used to be a kitchen, rooms for service and a spare room ❻. The floor has representative character ❶; in the front elevation it hauses a balcony room and halls decorated with flower stuccowork motifs. From the garden side, there is a dish preparation room, a bedroom and a library. From the right side of the mansion, a late classicistic outbuilding in the style of Polish manor-house was situated in 1860, with a column piling. The whole is flanked by a picturesque landscape park from the 18th century. Today, a museum of the manor interiors is situated here, with a rich collection of portraits, furniture, porcelain, silverware, crystals and clocks ❸❹❺.

1

In diesem kleinen Dorf in der Region um Sieradz befindet sich eines der interessantesten polnischen Herrenhäuser im spätbarocken Stil ❷ (1796). Es ist ein einstöckiges Gebäude, bedeckt mit einem hohen Pultdach. In den Jahren 1973-84 wurde es sorgfältig restauriert. An der frontfassade befindet sich ein taskonischer Säulengang mit einen Balkon im ersten Stock Im Erdgeschoss hatten mal eine Küche, Räume für Dienstpersonal sowie ein Gästezimmer ❻ ihren Platz. Der erste Stock ❶ hat einen repräsentatien Character und birgt an der Frontseite ein Balkonzimer und mit Stuckarbeiten dekorierte Salons. An der Gartenseite befinden sich ein Aurichtezimmer, ein Schlafzimmer und eine Bibliothek. An der rechten Seite des Hauses wurde ein spätklassizistisches Hinterhaus in Form eines polnischen Herrenhauses mit einem Säulengang dazugebaut (1860). Die ganze Anlage ist von einem malerischen Landschaftspark aus dem 18. Jh. umgeben. Heute ist das Haus Sitz des Museums der Hofräume mit reichen Möbel-, Porzellan-, Silbergeschirr- und Kristallglas- und Uhrensammlung ❸❹❺.

2

Kolegiata

The collegiate church ✦ Die Stiftskirche

Tum, jeden z najstarszych ośrodków państwowo-kościelnych w Polsce, otrzymał w połowie XII wieku kolegiatę ❶. Odbudowana przy częściowej rekonstrukcji po ostatniej wojnie, należy do najznakomitszych kościołów romańskich w Polsce. Masywną budowlę, przypominającą bardziej twierdzę niż świątynię, ożywiają jedynie małe otwory okienne. Jej warowny charakter pozwolił odeprzeć najazdy Tatarów w 1241 i Krzyżaków w 1331 roku, ale w 1293 roku Litwini wdarli się podstępnie do świątyni i spalili ją wraz z obrońcami. Oczyszczone z mało wartościowych, wtórnych naleciałości wnętrze kolegiaty prezentuje obecnie dawną szlachetną prostotę. Cennym dziełem rzeźby romańskiej jest zachodni portal z archiwoltą, zdobioną motywami roślinnymi i zoomorficznymi ❷.

❶

Tum, one of the oldest centers of state and church administration in Poland, received its collegiate church ❶ in the middle of the 12th century. It was restored after the Second World War and partially reconstructed, to represent today one of the most striking Romanesque churches in Poland. The massive structure, resembling more of a castle than a shrine, gets its only life from small window openings. The fortified character of the structure helped it to withstand the attacks of Tartars in 1241 and Teutonic Knights in 1331, but in 1293 Lithuanians managed to sneak into the church and burned it down, with those who defended it burning inside. The interior of the church, stripped today of worthless adornments added to it in its later times, presents now the old, noble simplicity. A valuable masterpiece of Romanesque sculpture is the western portal with an archivolt decorated by floral and animal motives ❷.

In Tum, einem der ältesten staatlichen und kirchlichen Zentren in Polen, wurde im 12. Jh. eine Stiftskirche ❶ geweiht. Nach teilweiser Zerstörung im Zweiten Weltkrieg erhielt sie ihre ursprüngliche Gestalt wieder und gehört jetzt zu den bekanntesten romanischen Kirchen in Polen. Das massive Bauwerk, das eher an eine Festung als an eine Kirche erinnert, wird nur durch kleine Fensteröffnungen belebt. Seine Bauweise erlaubte es die Angriffe der Tataren (1241) und der Kreuzritter (1331) abzuwehren, 1293 sind jedoch Litauer in die Kirche eingebrochen und haben sie samt ihren Verteidigern verbrannt. Das von wenig wertvollen, späteren Einflüssen befreite Innere der Kirche begeistert heute mit seiner edlen Einfachheit. Ein wertvolles Werk der romanischen Bildhauerkunst stellt das Westportal mit einer Archivolte, die mit Pflanzen- und Tiermotiven geschmückt ist, dar ❷.

❷

Stare Miasto

The Old Town ✦ Die Altstadt

Malownicze kamienice przy Rynku Starego Miasta ❶, Katedra św. Jana, Zamek Królewski ❹, Kolumna Zygmunta, Barbakan i mury obronne ❷❸, podziwiane dziś przez licznych turystów, w 1945 roku istniały tylko w postaci szczątkowej, planowo burzone przez hitlerowców. Staromiejskie centrum Warszawy odrodziło się jak przysłowiowy Feniks z popiołów, dzięki pracy polskich konserwatorów. Stare i Nowe Miasto, odbudowane po całkowitym zniszczeniu, zostały wpisane na Listę Światowego Dziedzictwa Kulturalnego i Przyrodniczego UNESCO, jako wzorcowy przykład rekonstrukcji zespołu urbanistycznego.

❶

The picturesque buildings at the Old Town Market ❶, St John's Cathedral, the Royal Castle ❹, the Sigismund's Column, the Barbakan and the defence walls ❷❸, which are admired today by many tourists – all of them were virtually non-existent in 1945 as a result of the planned destruction of the city by the Nazis. The Old Town of Warsaw was reborn as the proverbial phoenix, which rose anew from the ashes, thanks to the work of Polish conservators. The Old Town and the New Town, reconstructed after the total destruction, have been put on the UNESCO's list of World Cultural and Environmental Heritage as the leading example of an urban complex reconstruction.

Die malerischen Patrizierhäuser am altstädtischen Markt-platz ❶, der St. Johannes-Dom, das Königsschloss ❹, die Sigismundsäule, die Barbakane sowie auch die Wehrmauer ❷❸, die heute von zahlreichen Touristen bewundert werden können, waren 1945 kaum vorhanden, da sie während der deutschen Okkupation planmäßig zerstört wurden. Dank polnischen Restauratoren stieg die Warschauer Altstadt wie der Phönix aus der Asche. Die Altstadt und die Neustadt, die im Kriege zu 90% zerstört wurden, sind in die Liste des Weltkulturerbes der UNESCO eingetragen, als musterhaftes Beispiel für die Rekonstruktion eines urbanistischen Komplexes.

2

4

Pałac magnacki

The palace of a magnate ✦ Die Magnatenresidenz

W 1672 roku Wilanów stał się prywatną podmiejską posiadłością Jana III Sobieskiego. 42 lata później królewska rezydencja przeszła w ręce Siemieniawskich, a później innych rodów magnackich. Tutejszy zespół pałacowo-ogrodowy należy do najcenniejszych w Polsce. W obecnym kształcie powstał on w wyniku etapowej realizacji, od roku 1682 do lat trzydziestych XVIII wieku, kiedy to pałac uzyskał plan podkowy ❶. Wilanowski pałac stanowi kwintesencję rozwiniętego baroku, wyrażającą się w symetrycznym założeniu całości, otwartym układzie planu, bardzo dekoracyjnej architekturze oraz postrzępionej, malowniczej bryle. Przepychowi elewacji odpowiadają bogato zdobione wnętrza, pełne rzeźb i polichromii. Pałac, jak i całe założenie, z reprezentacyjnym dziedzińcem ❷ i ogrodem ❸, zaprojektował Augustyn Locci. Autorem bogatego wystroju rzeźbiarskiego fasad jest Andreas Schlüter.

❶

In 1672 Wilanów became a private suburban estate of John III Sobieski. 42 years later the king's residence was taken over by the Siemieniawski family, and later by other magnate families. The complex consisting of the palace and the garden is one of the most valuable in Poland. The present form of the complex is the result of the process carried out in stages from 1682 until the 1830's, when the palace assumed the plan of a horseshoe ❶. The Wilanów palace is the essence of the developed baroque style, which is manifested in the symmetrical spatial plan of the whole complex, open layout of the plan, very decorative architecture and the jagged picturesque shape of the structure. The splendour of the elevations is matched by the richly decorated interior with plenty of sculptures and murals. The palace and the whole spatial plan with the magnificent courtyard ❷ and garden ❸ was designed by Augustyn Locci. Andreas Schlüter is the author of rich sculptural decorations in the elevations.

1672 wurde das Schloss in Wilanów zu einer königlichen Residenz von Jan III.Sobieski. 42 Jahre später ging es in den Besitz der Familie Siemieniawski und dann anderer Magnatenfamilien über. Die Schloss- und Gartenanlage in Wilanów gehört zu den wertvollsten in Polen. Sie ist abschnittsweise von 1682 bis zu den 30-er Jahren des 18. Jh. gewachsen. Das Schloss ist in Hufeisenform angelegt ❶ und stellt ein charakteristisches Beispiel einer Barockresidenz dar. Es zeichnet sich durch sehr symmetrische und dekorative Außenarchitektur aus. Die prächtige Fassade harmoniert sehr gut mit dem reich geschmückten Inneren, das voll von Skulpturen und Wandmalereien ist. Das Schloss, sowie auch die ganze Anlage ❷❸ wurde von Agostino Locci entworfen. Die die Fassade schmückenden Skulpturen wurden von Andreas Schlüter geschaffen.

❷

❸

Opactwo cystersów

The Cistercian abbey ✦ Die Zisterzienserabtei

W 1179 roku biskup krakowski fundował tu opactwo dla konwentu cystersów sprowadzonych z Burgundii. Tworzy je obszerny zespół późnoromańskich zabudowań ❹ z ciosów na przemian żółtych i czerwonych ❶, wzniesionych w pierwszej połowie XIII wieku. Jednym z nich jest trójnawowa bazylika filarowa o trzyprzęsłowym korpusie z transeptem i prezbiterium z parą bliźniaczych kaplic. Posiada sklepienia krzyżowo-żebrowe na ostrołukowych gurtach wspartych na filarach przyściennych i półkolumnach ❻. Barokowe wyposażenie wnętrza pochodzi z połowy XVII wieku ❺❽. Jedno- i dwupiętrowy budynek klasztorny ❷, zgrupowany wokół dwóch wirydarzy z krużgankiem ❸, został rozbudowany w XVI-XVII wieku. Wschodnie skrzydło mieści kwadratowy kapitularz z pierwszej połowy XIII wieku ❼, będący najpiękniejszym tego typu zabytkiem w Małopolsce.

❶

❷

❸

❹

In 1179, a Cracowian bishop here founded an abbey for a Cistercian convent, brought from Burgundy. It is composed of a range of late Romanesque developments ❹ made of yellow and red ashlar ❶, erected in the first half of the 13th century. One of them is a three-aisled pillar column basilica with a three-arc corpus and presbytery with a pair of twin chapels. It has a cross-ribbed vault on steep supporting arches on wall and half-columns ❻. The baroque furnishings come from the middle of the 17th century ❺❽. The one- and two-floor cloister building ❷, grouped with a paradise garden and gallery ❸, was partially built in the 16th-17th centuries. The east wing houses a square capitular ❼ from the first half of the 13th century, the most beautiful monument of this kind in Little Poland.

❺

❼

In Wąchock 1179 stiftete der Krakauer Bischof die Abtei für Zisterziensermönche, die er aus Burgund berief. Die Anlage bildet ein Komplex von spätromanischen Gebäuden ❹ aus gelben und roten Quadersteinen ❶ aus der ersten Hälfte des 13. Jh. Eins davon ist eine dreischiffige Pfeilerbasilika von drei Jochen mit Querschiff und Presbyterium und einem Paar von Zwillingskapellen. Ihre Kreuz-Rippen-Gewölbe ruhen auf spitzen Gewölbebogen, die auf Pfeiler und Halbsäulen gestützt sind ❻. Die barocke Innenausstattung stammt aus der Zeit um 1650 ❺❽. Das ein- und zweistöckige Klostergebäude ❷, um zwei Klostergärten mit Kreuzgang gebaut ❸, wurde im 16.-17. Jh. ausgebaut. Der östliche Flügel birgt einen quadratischen Kapitelsaal ❼ aus der ersten Hälfte des 13. Jh., der zu den schönsten Sehenswürdigkeiten dieser Art in Kleinpolen gehört.

❻

❽

Katedra

The cathedral ✦ Der Dom

Sakralnych budowli z okresu średniowiecza ma Wrocław kilkanaście. Świątynią najstarszą i najbardziej monumentalną jest katedra ❶. Biskupstwo wrocławskie utworzone zostało w roku 1000. Najstarsza katedra nie jest znana. Po drugiej, romańskiej, wzniesionej około połowy XII wieku, pozostały fragmenty murów oraz krypta pod prezbiterium. Obecna świątynia gotycka zbudowana została w 2 połowie XIII (prezbiterium) i w XIV wieku (korpus nawowy ❹). Wyrażające potęgę Kościoła, majestatyczne wieże dostawiono w kolejnym stuleciu. Zniszczenia ostatniej wojny nie unicestwiły wyposażenia. Po naprawie uszkodzeń i konserwacji, fasadę oraz wnętrza ❸ zdobią nadal wspaniałe rzeźby oraz polichromie ❷❺. Inne interesujące kościoły gotyckie to kościół św. Marii Magdaleny ❻❼ i kościół św. Krzyża ❽.

❶

❷

❸

Wrocław has several sacral buildings from the medieval period. The cathedral ❶ is the oldest and the most monumental temple. The bishopric of Wrocław was formed in the year 1000. Nothing is known about the oldest cathedral. Only fragments of walls and the crypt beneath the presbytery remained from the second, Romanesque cathedral, erected in the 12th century. The present Gothic temple was built in the second half of the 13th century (the presbytery) and in the 14th century (the nave corpus ❹). The grandiose towers, expressing the bulk of the church, were additionally built in the next century. Destructions from the last war did not damage the adornments. After conservation and repair of the damage, the magnificent sculptures and polychrome ❷❺ garnish the interior ❸. There are some other interesting Gothic churches in Wrocław, like the church of St. Mary Magdalene ❻❼ and the Holy Cross church ❽.

Breslau (Wrocław) besitzt mehr als zehn sakrale Bauten aus dem Mittelalter. Von den erhalten gebliebenen ist der Dom am ältesten und ansehnlichsten ❶. Das Breslauer Bistum wurde im Jahre 1000 gegründet. Sein ursprünglicher Dom ist aber nicht bekannt. Von dem zweiten romanischen, der um die Hälfte des 12. Jh. erbaut wurde, blieben nur Mauerreste und die Krypta unter dem Chor erhalten. Die heutige gotische Kathedrale wurde in der zweiten Hälfte des 13. Jh. (der Chorraum) und im 14. Jh. (das Schiff ❹) errichtet. Ihre massiven Türme, die die Macht der Kirche symbolisieren, wurden im nächsten Jahrhundert dazugebaut. Im letzten Weltkrieg wurde die Innenausstattung nicht zerstört. Nachdem die Schäden beseitigt und das Gebäude restauriert wurde, schmücken weiterhin herrliche Skulpturen und mehrfarbige Wandmalereien ❷❺ die Fassade und das Innere ❸. Zu den anderen gotischen Gotteshäusern in Breslau, die sehenswert sind, gehören die Kirche St. Maria Magdalena ❻❼ und die Kreuzkirche ❽.

❹

❺

6

7

8

Ratusz

The Town Hall ✦ Das Rathaus

Bez większych szkód wyszedł z wojennej pożogi wrocławski ratusz – niezrównane w artystycznym bogactwie dzieło sztuki gotyckiej ❾, odznaczające się oryginalną architekturą i liczonym w setki zespołem rzeźb. Zbudowany w końcu XIII wieku i powiększany dwukrotnie, obecny kształt otrzymał na początku XVI stulecia. Jest najokazalszą w Polsce dawną siedzibą władz municypalnych, a w plastycznym wystroju najpełniej wyraża ideowy program, gloryfikujący zalety samorządności ❿. Alegoryczne wyobrażenia zawarte w rzeźbie uzupełnia wyniosła wieża, która obok praktycznej funkcji strażniczej, symbolizowała rangę i prestiż miasta.

9

Not much havoc was wreaked on the Town Hall of Wrocław during the war – an incomparable work of art among the Gothic artistic realm ❾, marked out by its original architecture and hundreds of sculptures. Built at the end of the 18th century, twice enlarged, it received its current appearance at the beginning of the 16th century. It is the most splendorous seat of the municipal administrations, and in a fluid layout, it expresses supremely the ideological programme, glorifying the merits of self-government ❿. Allegorical tableaus included in the carving are supplemented by the high tower, which, except for its sentry function, symbolized the quality and prestige of the town.

10

Ohne größeren Schaden überstand das Breslauer Rathaus die verheerenden Kriege des vorigen Jahrhunderts. Es ist ein gotisches Bauwerk ❾, das an seinem künstlerischem Reichtum viele andere übertrifft. Es zeichnet sich durch originelle Bauweise und ein Skulpturenensamble aus, das einige hundert Skulpturen zählt. Es wurde Ende des 13. Jh. erbaut und zweimal vergrößert. Seine heutige Gestalt bekam es Anfang des 16. Jh. Das Rathaus ist der ansehnlichste ehemalige Verwaltungssitz in Polen ❿. Seine Innenausstattung verherrlicht die Idee der Selbstverwaltung. Die allegorischen Symbole, die die Skulpturen darstellen, ergänzt der hohe Turm, der neben seiner Wachfunktion den Rang und die Prestige der Stadt versinnbildlicht.

1

Renesansowe założenie urbanistyczne

Renaissance town-planning ✦ Renaissance-Stadtanlage

Zamość, lokowany przez Jana Zamoyskiego w 1580 roku, jest znakomitym zabytkiem renesansowej urbanistyki polskiej i europejskiej, wyrosłym ze sztuki włoskiej. Założenie miejskie ze sprzężoną osiową rezydencją magnacką, obwarowane wielobokiem bastionowej fortyfikacji, zaprojektował i w dużej części zrealizował Bernardo Morando. Centralnym punktem rozplanowanego regularnie i symetrycznie miasta jest Rynek Wielki ❷. Jego obudowę tworzą kamienice, niegdyś piętrowe z attykami, dziś w większości trzykondygnacyjne, przebudowane. Wzniesione na przełomie XVI i XVII wieku, według stworzonego przez Morando wzorca, w przyziemiu mają ujednolicone podcienia ❹. Fasady, charakterystyczne dla sztuki tego architekta, różnią się tylko rodzajem dekoracji ❺❻. Dominantę stanowi usytuowany w północnej pierzei ratusz z wysoką wieżą ❶. Zaprojektowany i wzniesiony w latach 1591-1600 przez Morando, obecny kształt uzyskał w przebudowach w 1. połowie XVII oraz w XVIII i XIX wieku. Morando jest również twórcą zamojskiej świątyni – katedry, wzbogaconej rzędami kaplic ❿. Budowę zakończono w roku 1600, lecz sklepienia i bogata stiukowa dekoracja ❼ pochodzą z lat 1618-1634 (J. Ch. Falconi). Zewnętrzny kształt nadano bazylice w klasycystycznej przebudowie XIX-wiecznej. Bez przeróbek zachowało się wytwornie ukształtowane manierystyczne wnętrze świątyni ❽❾. W latach 1610-1620 powstała późnorenesansowa bóżnica ❸ (obecnie biblioteka).

Zamość wpisany jest na listę Światowego Dziedzictwa Kulturalnego i Przyrodniczego UNESCO.

❷

Zamość, established by Jan Zamoyski in 1580, is an eminent monument of Polish and European Renaissance town-planning following contemporary Italian styles. The city foundation with its connected axial lordly residence, and guarded by a polygon of bastion fortification, was designed and, for the most part realized, by Bernardo Morando. The Great Market Square ❶ is the central point of the uniformly and symmetrically planned city. The square is surrounded by tennement houses, in the old days being only one storey, with attics. Today most of them are three storeys and reconstructed. Erected at the turn of the 16th century according to a pattern created by Morando, they had unified arcades at the groundfloor ❹.

The facades, which are typical for their architect, vary just in their style of decoration ❺❻. The complex is dominated by the Town Hall ❷ building with its high tower situated in the northern part. It was designed and erected by Morando betwen 1591-1600. Its current shape was given to it in reconstructions in the first half of the 17th century, and later in the 18th and 19th centuries.

Morando is also the designer of the Zamość temple – a cathedral enriched by rows of chaples ❿. The construction work was finished in 1600 but the vaulting and the rich stucco work decoration ❼ come from 1618-1634 (J. C. Falconi). The outward appearance was given to the basilica during the classicistic reconstruction in the 19th century. The fashionable temple interior shaped in manneristic style has survived without any changes ❽❾. Between 1610-1620 the late Renaissance synagogue ❸ (now a library) was built. Zamość is listed in the UNESCO list of World Cultural and Natural Heritage.

7

Das 1580 dank Jan Zamoyski gegründete Zamość ist eine Perle der polnischen und europäischen Renaissancestädtebaukunst, verwurzelt in der italienischen Renaissance. Die Stadtanlage mit einer Magnatenresidenz, umgeben von einer bastionartigen Befestigung, wurde von Bernardo Morando entworfen, der auch den Bau leitete. Den Mittelpunkt der regulär und symmetrisch angelegten Stadt bildet der Marktplatz ❶. Um ihn herum wurden einstöckige, mit Attiken gekrönte Patrizierhäuser gebaut. Heute sind sie meistens zwei Stockwerke höher. Erbaut um die Wende des 16. und des 17. Jh. nach einem Plan von Morando, haben sie im Erdgeschoss gleiche Arkaden ❹. Die Fassaden, die für die Baukunst des italienischen Meisters charakteristisch sind, unterscheiden sich nur durch dekorative Details ❺❻. Am Marktplatz dominiert das an der nördlichen Seite platzierte Rathaus mit einem hohen Turm ❷. Von B. Morando entworfen und in den Jahren 1591-1600 erbaut, bekam es seine heutige Gestalt nach den Umbauten in der ersten Hälfte des 17. und im 18. und 19. Jh.

Morando hat Zamość auch seine Kirche zu verdanken – eine monumentale Basilika mit mehreren Kapellen ❿. Ihr Bau wurde 1600 beendet, jedoch stammen die Gewölbe und die Stuckdekoration ❼ aus den Jahren 1618-1634 aus der Hand von J.Ch. Falconi. Ihre heutige äußere Gestalt erhielt die Kirche nach dem klassizistischen Umbau im 19. Jh. Das im Stil des Manierismus gestaltete Innere des Gotteshauses behielt sein ursprüngliches Aussehen ❽❾. In den Jahren 1610-1620 wurde die Synagoge ❸ im Stil der Spätrenaissance erbaut, heute eine Bibliothek.

Zamość ist in die Liste des Weltkulturerbes der UNESCO eingetragen.

8

9

10

Zespół poagustiański i pałac

The former Augustinian complex and the palace

Die ehemalige Augustiner-Klosteranlage und der Palast

Pośród licznych zabytków Żagania na szczególną uwagę zasługuje zespół poklasztorny – pamiątka po opactwie augustianów, istniejącym tutaj od 1284 do 1810 roku. Wielostylowy kompleks architektoniczny najciekawiej prezentuje się od strony rozległego dziedzińca. Monumentalną fasadę kościoła z imponujących rozmiarów szczytem schodkowym ożywia w parterze dostawiona renesansowa galeria z loggią ❶❷. Przed południową elewacją prezbiterium stoi wotywny posąg Matki Boskiej w otoczeniu świętych, wzniesiony przez konwent w intencji obrony przed plagami moru, ognia i wojny. Wnętrze świątyni to galeria znakomitej sztuki sakralnej – malarstwa, rzeźby i rękodzieła artystycznego ❸❹❺.

Barokowy pałac ❽, wzniesiony w 2 połowie XVII wieku na zrębach książęcego zamku i niedokończonej późnorenesansowej siedziby magnackiej, zaprojektował włoski architekt Antonio della Porta. Obfitująca w dramatyczne wydarzenia nowożytna historia pałacu powiązana jest z dziejami europejskich rodów: Wallensteinów, Lobkowitzów, Bironów i Talleyrandów. Rozległy park krajobrazowy przy pałacu, wraz z wtopionymi weń budynkami szpitala i kościółka św. Krzyża, jest fundacją Doroty Talleyrand, władającej księstwem żagańskim w latach 1842-1862. Wysokiej klasy architektura pałacu powstała z połączenia wzorów zaczerpniętych z późnorenesansowych rezydencji włoskich i barokowych założeń francuskich. Interesujące są wnętrza sali purpurowej ❻ i sali kurlandzkiej ❼.

❶

❸

❹

❷

❺

The former monastery takes a prominent place among many heritage buildings in Żagań. It is a reminder of the Augustinian abbey that existed there since 1284 until 1810. The multi-styled architectural complex provides the most interesting perspective when viewed from the vast courtyard. The monumental facade of the church with an imposing step-like gable is made more interesting by an addition of a Renaissance gallery with a loggia at the ground level ❶❷. In front of the south side of the presbytery, there's a votive figure of St. Mary surrounded by saints, built there by the convent with the intention to pray to God for cover against the plagues of disease, fire and war. The interior is a gallery of masterpieces of religious art – paintings, sculptures and artistically crafted items ❸❹❺.

The baroque palace ❽, erected in the second half of the 17th century on the site of the foundations of the duke's castle and an unfinished late Renaissance magnate residence, was designed by an Italian architect Antonio della Porta. The dramatic history of the palace is linked with the history of prominent European families: Wallenstein, Lobkowitz, Biron, Talleyrand. An extensive landscape park around the palace was, together with the buildings of the hospital and the Holy Cross church, founded by Dorota Talleyrand who ruled in the Żagań Duchy between 1842-1862. The top class palace architecture resulted from the combination of taking a model for the palace from Italian residences of late Renaissance and French ideas of the baroque style. The interiors of the Purple Hall ❻ and the Kurlands Hall ❼ are highly interesting.

Unter den zahlreichen Baudenkmälern von Sagan (Żagań) ist wohl die ehemalige Klosteranlage – eine Erinnerung an die Augustinerabtei, die hier in den Jahren 1284-1810 gestanden hat, am bedeutendsten. Die in verschiedenen Baustilen errichtete Anlage sieht vom geräumigen Hof am interessantesten aus. Die mo-numentale Kirchenfassade mit einem Treppengiebel von imposanter Größe belebt eine im Erdgeschoss dazugebaute Galerie mit einer im Renaissancestil erbauten Loggia ❶❷. Vor der Südwand des Presbyteriums steht die Votivfigur der Mutter Gottes, von Heiligen umgeben, die vor Seuchen, Feuer und Krieg schützen sollte. Das Innere der Kirche birgt sakrale Kunstschätze – Malereien, Skulpturen und Kunsthandwerke ❸❹❺.

Das barocke Schloss ❽, das in der zweiten Hälfte des 17. Jh. unter Einbeziehung von alten Bauelementen – eines Fürstenschlosses und einer unvollständigen Magnatenresidenz im verspäteten Renaissancestil – erbaut wurde, enstand nach dem Entwurf des italienischen Baumeisters Antonio della Porta. Die neuzeitliche Geschichte des Schlosses, reich an dramatischen Ereignissen, ist mit dem Schicksal bedeutender europäischer Familien wie: die Wallensteins, die Lobkowitzs, die Birons und die Talleyrands verbunden. Der weite Schlosspark samt dem Krankenhausgebäude und der Heilig – Kreuz – Kirche wurde von Dorothea Talleyrand gestiftet, die über das Fürstentum Sagan in den Jahren 1842–1862 herrschte. Die erstklassige Architektur des Schlosses schöpft von italienischen, im spätem Renaissancestil errichteten sowie auch von französischen barocken Residenzen. Besonders interessant ist das Innere des Purpur- ❻ sowie des Kurländer-Saales ❼.

❻

❼

❽

OPRACOWANIE TEKSTÓW
STANISŁAW KOWALSKI

TEKSTY DOTYCZĄCE KAMIENIA POMORSKIEGO, LEŻAJSKA, ŁODZI
STRZELNA, SZYDŁOWCA, ŚMIEŁOWA, TUBĄDZINA I WĄCHOCKA OPRACOWAŁ
KONRAD KAZIMIERZ CZAPLIŃSKI

ZDJĘCIA NA STRONACH 50, 117
AGNIESZKA I WŁODEK BILIŃSCY
ZDJĘCIA NA STRONACH 118, 119
ARTUR ANUSZEWSKI

PROJEKT GRAFICZNY ALBUMU I DTP
BOGUSŁAW TRYBUS

REDAKCJA
ZESPÓŁ

REDAKCJA TECHNICZNA
JERZY KUŚMIERZ

TŁUMACZENIA
JĘZYK ANGIELSKI: PIGMALION - CZESKI CIESZYN
JĘZYK NIEMIECKI: MARIA DOS SANTOS

SKANOWANIE I OBRÓBKA FOTOGRAFII
AQUARIUS PROMOTION SA

WYDANIE, LISTOPAD 2005

VIDEOGRAF II SP. Z O.O., 41-500 CHORZÓW, AL. HARCERSKA 3 C
TEL.: (0-32) 348-31-33, 348-31-35
FAX: (0-32) 348-31-25
office@videograf.pl
www.videograf.pl

Wyłączna dystrybucja „Składnica Księgarska" Sp. z o.o.
w Warszawie, ul. Kolejowa 19/21 www.sk.com.pl

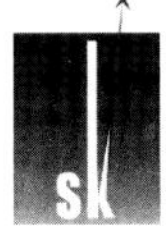

ISBN 83-7183-332-6

Druk i oprawa:
Rzeszowskie Zakłady Graficzne SA